Karl

George Sand

Karl

Peu d'instants après, Karl rentra avec une lettre dont l'écriture était inconnue à Consuelo et dont voici à peu près le contenu:

«Je vous quitte pour ne vous revoir peutêtre jamais. Je renonce à trois jours que j'aurais pu passer encore auprès de vous, trois jours que je ne retrouverai peutêtre pas dans toute ma vie! J'y renonce volontairement. Je le dois. Vous apprécierez un jour la sainteté de mon sacrifice.

«Oui, je vous aime, je vous aime éperdument, moi aussi! Je ne vous connais pourtant guère plus que vous ne me connaissez. Ne me sachez donc aucun gré de ce que j'ai fait pour vous. J'obéissais à des ordres suprêmes, j'accomplissais le devoir de ma charge. Ne me tenez compte que de l'amour que j'ai pour vous, et que je ne puis vous prouver qu'en m'éloignant. Cet amour est violent autant qu'il est respectueux. Il sera aussi durable qu'il a été subit et irréfléchi. J'ai à peine vu vos traits, je ne sais rien de votre vie; mais j'ai senti que mon âme vous appartenait, et que je ne pourrais jamais la reprendre. Votre passé fûtil aussi souillé que votre front est pur, vous ne m'en serez pas moins respectable et chère. Je m'en vais le cœur plein d'orgueil, de joie et d'amertume. Vous m'aimez! Comment supporteraije l'idée de vous perdre, si la terrible volonté qui dispose de vous et de moi m'y condamne?... Je l'ignore. En ce moment je ne puis pas être malheureux, malgré mon épouvante, je suis trop enivré de votre amour et du mien pour souffrir. Dusséje vous chercher en vain toute ma vie, je ne me plaindrai pas de vous avoir rencontrée, et d'avoir goûté dans un baiser de vous un bonheur qui me laissera d'éternels regrets. Je ne pourrai pas non plus perdre l'espérance de vous retrouver un jour; et ne futce qu'un instant, n'eusséje jamais d'autre témoignage de votre amour que ce baiser si saintement donné et rendu, je me trouverai encore cent fois plus heureux que je ne l'avais été avant de vous connaître.

«Et maintenant, sainte fille, pauvre âme troublée, rappelletoi aussi sans honte et sans effroi ces courts et divins moments où tu as senti mon amour passer dans ton cœur. Tu l'as dit, l'amour nous vient de Dieu, et il ne dépend pas de nous de l'étouffer ou de l'allumer malgré lui. Fusséje indigne de toi, l'inspiration soudaine qui t'a forcée de répondre à mon étreinte n'en serait pas moins céleste. Mais la Providence qui te protège, n'a pas voulu que le trésor de ton affection tombât dans la fange d'un cœur égoïste et froid. Si j'étais ingrat, ce ne serait de ta part qu'un noble instinct égaré, qu'une sainte inspiration perdue: je t'adore, et, quel que je sois, d'ailleurs, tu ne t'es pas fait d'illusion en te croyant aimée. Tu n'as pas été profanée par le battement de mon cœur, par l'appui de mon bras, par le souffle de mes lèvres. Notre mutuelle confiance, notre foi aveugle, notre impérieux élan nous a élevés en un instant à l'abandon sublime que sanctifie une longue passion, Pourquoi le regretter? Je sais bien qu'il y a quelque chose d'effrayant dans cette fatalité qui nous a poussés l'un vers l'autre. Mais c'est le doigt de Dieu, voistu! Nous ne pouvons pas le méconnaître. J'emporte ce terrible secret. Gardele aussi, ne le confie à personne. Beppo ne le comprendrait peutêtre pas. Quel que soit cet ami, moi seul puis te respecter dans ta folie et te vénérer dans ta faiblesse, puisque cette faiblesse et cette folie sont les miennes. Adieu! c'est peutêtre un adieu éternel. Et pourtant je suis libre selon le monde, il me semble que tu l'es aussi. Je ne puis aimer que toi, et vois bien que tu n'en aimes pas un autre... Mais notre sort ne nous appartient plus. Je suis engagé par des vœux éternels, et tu vas l'être sans doute bientôt; du moins tu es au pouvoir des invisibles, et c'est un pouvoir sans appel. Adieu donc... mon sein se déchire, mais Dieu me donnera la force d'accomplir ce sacrifice, et de plus rigoureux encore s'il en existe. Adieu... Adieu! O grand Dieu, ayez pitié de moi!»

Cette lettre sans signature était d'une écriture pénible ou contrefaite.

«Karl! s'écria Consuelo pâle et tremblante, c'est bien le chevalier qui t'a remis ceci?

Oui, Signora.

Et il l'a écrit luimême?

Oui, Signora, et non sans peine. Il a la main droite blessée.

Blessée, Karl? gravement?

Peutêtre. La blessure est profonde, quoiqu'il ne paraisse guère y songer.

Mais où s'estil blessé ainsi?

La nuit dernière, au moment où nous changions de chevaux, avant de gagner la frontière, le cheval de brancard a voulu s'emporter avant que le postillon fut monté sur son porteur. Vous étiez seule dans la voiture; le postillon et moi étions à quatre ou cinq pas. Le chevalier a retenu le cheval avec la force d'un diable et le courage d'un lion, car c'était un terrible animal...

Oh! oui, j'ai senti de violentes secousses. Mais tu m'as dit que ce n'était rien.

Je n'avais pas vu que monsieur le chevalier s'était fendu le dos de la main contre une boucle du harnais.

Toujours pour moi! Et dismoi, Karl, estce que le chevalier a quitté cette maison?

Pas encore, Signora; mais on selle son cheval, et je viens de faire son portemanteau. Il dit que vous n'avez rien à craindre maintenant, et la personne qui doit le remplacer auprès de vous est déjà arrivée. J'espère que nous le reverrons bientôt, car j'aurais bien du chagrin qu'il en fût autrement. Cependant il ne s'engage à rien, et à toutes mes questions il répond: Peutêtre!

Karl! où est le chevalier?

Je n'en sais rien, Signora. Sa chambre est par ici. Voulezvous que je lui dise de votre part...

Ne lui dis rien, je vais écrire. Non... dislui que je veux le remercier... le voir un instant, lui presser la main seulement... Va, dépêchetoi, je crains qu'il ne soit déjà parti.»

Karl sortit; et Consuelo se repentit aussitôt de lui avoir confié ce message. Elle se dit que si le chevalier ne s'était jamais tenu près d'elle durant ce voyage que dans le cas d'absolue nécessité, ce n'était pas sans doute sans en avoir pris l'engagement avec les bizarres et redoutables invisibles. Elle résolut de lui écrire; mais à peine avaitelle tracé et déjà effacé quelques mots, qu'un léger bruit lui fit lever les yeux. Elle vit alors glisser un pan de boiserie qui faisait une porte secrète de communication avec le cabinet où elle avait déjà écrit et une pièce voisine, sans doute celle qu'occupait le chevalier. La boiserie ne s'écarta cependant qu'autant qu'il le fallut pour le passage d'une main gantée qui semblait appeler celle de Consuelo. Elle s'élança et saisit cette main en disant: «L'autre main, la main blessée!»

L'inconnu s'effaçait derrière le panneau de manière à ce qu'elle ne pût le voir. Il lui passa sa main droite, dont Consuelo s'empara, et défaisant précipitamment la ligature, elle vit la blessure qui était profonde en effet. Elle y porta ses lèvres et l'enveloppa de son mouchoir; puis tirant de son sein la petite croix en filigrane qu'elle chérissait superstitieusement, elle la mit dans cette belle main dont la blancheur était rehaussée par le pourpre du sang:

«Tenez, ditelle, voici ce que je possède de plus précieux au monde, c'est l'héritage de ma mère, mon portebonheur qui ne m'a jamais quitté. Je n'avais jamais aimé personne au point de lui confier ce trésor. Gardezle jusqu'à ce que je vous retrouve.»

L'inconnu attira la main de Consuelo derrière la boiserie qui le cachait, et la couvrit de baisers et de larmes. Puis, au bruit des pas de Karl, qui venait chez lui remplir son message, il la repoussa, et referma précipitamment la boiserie. Consuelo entendit le bruit d'un verrou. Elle écouta en vain, espérant saisir le son de la voix de l'inconnu. Il parlait bas, ou il s'était éloigné.

Karl revint chez Consuelo peu d'instants après.

«Il est parti, Signora, ditil tristement; parti sans vouloir vous faire ses adieux, et en remplissant mes poches de je ne sais combien de ducats, pour les besoins imprévus de votre voyage, à ce qu'il a dit, vu que les dépenses régulières sont à la charge de ceux... à la charge de Dieu ou du diable, n'importe! Il y a là un petit homme noir qui ne desserre les dents que pour commander d'un ton clair et sec, et qui ne me plaît pas le moins du monde; c'est lui qui remplace le chevalier, et j'aurai l'honneur de sa compagnie sur le siège, ce qui ne me promet pas une conversation fort enjouée. Pauvre chevalier! fusse le ciel qu'il nous soit rendu!

Mais sommesnous donc obligés de suivre ce petit homme noir?

On ne peut plus obligés, Signora. Le chevalier m'a fait jurer que je lui obéirais comme à luimême. Allons, Signora, voilà votre dîner. Il ne faut pas le bouder, il a bonne mine. Nous partons à la nuit pour ne plus nous arrêter qu'où il plaira... à Dieu ou au diable, comme je vous le disais tout à l'heure.»

Consuelo, abattue et consternée, n'écouta plus le babil de Karl. Elle ne s'inquiéta de rien quant à son voyage et à son nouveau guide. Tout lui devenait indifférent, du moment que le cher inconnu l'abandonnait. En proie à une tristesse profonde, elle essaya machinalement de faire plaisir à Karl en goûtant à quelques mets. Mais ayant plus d'envie de pleurer que de manger, elle demanda une tasse de café pour se donner au moins un peu de force et de courage physique. Le café lui fut apporté.

«Tenez, Signora, dit Karl, le petit Monsieur a voulu le préparer luimême, afin qu'il fût excellent. Cela m'a tout l'air d'un ancien valet de chambre ou d'un maître d'hôtel, et, après tout, il n'est pas si diable qu'il est noir; je crois qu'au fond c'est un bon enfant, quoiqu'il n'aime pas à causer. Il m'a fait boire de l'eaudevie de cent ans au moins, la meilleure que j'aie jamais bue. Si vous vouliez en essayer un peu, cela vous vaudrait mieux que ce café, quelque succulent qu'il puisse être...

Mon bon Karl, vat'en boire tout ce que tu voudras, et laissemoi tranquille, dit Consuelo en avalant son café, dont elle ne songea guère à apprécier la qualité.»

A peine se futelle levée de table, qu'elle se sentit accablée d'une pesanteur d'esprit extraordinaire. Lorsque Karl vint lui dire que la voiture était prête, il la trouva assoupie sur sa chaise.

«Donne-moi le bras, lui dit-elle, je ne me soutiens pas. Je crois bien que j'ai la fièvre.»

Elle était si anéantie qu'elle vit confusément la voiture, son nouveau guide, et le concierge de la maison, auquel Karl ne put rien faire accepter de sa part. Dès qu'elle fut en route, elle s'endormit profondément. La voiture avait été arrangée et garnie de coussins comme un lit. A partir de ce moment, Consuelo n'eut plus conscience de rien. Elle ne sut pas combien de temps durait son voyage; elle ne remarqua même pas s'il faisait jour ou nuit, si elle faisait halte ou si elle marchait sans interruption. Elle aperçut Karl une ou deux fois à la portière, et ne comprit ni ses questions ni son effroi. Il lui sembla que le petit homme lui tâtait le pouls, et lui faisait avaler une potion rafraîchissante en disant:

«Ce n'est rien, Madame va très-bien.»

Elle éprouvait pourtant un malaise vague, un abattement insurmontable. Ses paupières appesanties ne pouvaient laisser passer son regard, et sa pensée n'était pas assez nette pour se rendre compte des objets qui frappaient sa vue. Plus elle dormait, plus elle désirait dormir. Elle ne songeait pas seulement à se demander si elle était malade, et elle ne pouvait répondre à Karl que les derniers mots qu'elle lui avait dits: «Laisse-moi tranquille, bon Karl.»

Enfin elle se sentit un peu plus libre de corps et d'esprit, et, regardant autour d'elle, elle comprit qu'elle était couchée dans un excellent lit, entre quatre vastes rideaux de satin blanc à franges d'or. Le petit homme du voyage, masqué de noir comme le chevalier, lui faisait respirer un flacon qui semblait dissiper les nuages de son esprit, et faire succéder la clarté du jour au brouillard dont elle était enveloppée.

«Êtes-vous médecin, Monsieur? dit-elle enfin avec un peu d'effort.

Oui, madame la comtesse, j'ai cet honneur, répondit-il d'une voix qui ne lui sembla pas tout à fait inconnue.

Ai-je été malade?

Seulement un peu indisposée. Vous devez vous trouver beaucoup mieux?

Je me sens bien, et je vous remercie de vos soins.

Je vous présente mes devoirs, et ne paraîtrai plus devant Votre Seigneurie qu'elle ne me fasse appeler pour cause de maladie.

Suisje arrivée au terme de mon voyage?

Oui, Madame.

Suisje libre ou prisonnière?

Vous êtes libre, madame la comtesse, dans toute l'enceinte réservée à votre habitation.

Je comprends, je suis dans une grande et belle prison, dit Consuelo en regardant sa chambre vaste et claire, tendue de lampas blanc à ramages d'or, et relevée de boiseries magnifiquement sculptées et dorées. Pourraije voir Karl?

Je l'ignore, Madame, je ne ne suis pas le maître ici. Je me retire; vous n'avez plus besoin de mon ministère; et il m'est défendu de céder au plaisir de causer avec vous.»

L'homme noir sortit; et Consuelo, encore faible et nonchalante, essaya de se lever. Le seul vêtement qu'elle trouva sous sa main fut une longue robe en étoffe de laine blanche, d'un tissu merveilleusement souple, ressemblant assez à la tunique d'une dame romaine. Elle la prit, et en fit tomber un billet sur lequel était écrit en lettres d'or: «Ceci est la robe sans tache des néophytes. Si ton âme est souillée, cette noble parure de l'innocence sera pour toi la tunique dévorante de Déjanire.»

Consuelo, habituée à la paix de sa conscience (peutêtre même à une paix trop profonde), sourit et passa la belle robe avec un plaisir naïf. Elle ramassa le billet pour le lire encore, et le trouva puérilement emphatique. Puis elle se dirigea vers une riche toilette de marbre blanc, qui soutenait une grande glace encadrée d'enroulements dorés d'un goût exquis. Mais son attention fut attirée par une inscription placée dans l'ornement qui couronnait ce miroir: «Si ton âme est aussi pure que mon cristal, tu t'y verras éternellement jeune et belle; mais si le vice a flétri ton cœur, crains de trouver en moi un reflet sévère de ta laideur morale.»

«Je n'ai jamais été ni belle ni coupable, pensa Consuelo: ainsi cette glace ment dans tous les cas.»

Elle s'y regarda sans crainte, et ne s'y trouva point laide. Cette belle robe flottante et ses longs cheveux noirs dénoués lui donnaient l'aspect d'une prêtresse de l'antiquité; mais son extrême pâleur la frappa. Ses yeux étaient moins purs et moins brillants qu'à l'ordinaire. «Seraisje enlaidie, pensatelle aussitôt, ou le miroir m'accuseraitil?

Elle ouvrit un tiroir de la toilette, et y trouva, avec les mille recherches d'un soin luxueux, divers objets accompagnés de devises et de sentences à la fois naïves et pédantes; un pot de rouge avec ces mots gravés sur le couvercle: «Mode et mensonge! Le fard ne rend point aux joues la fraîcheur de l'innocence, et n'efface pas les ravages du désordre des parfums exquis», avec cette devise sur le flacon: «Une âme sans foi, une bouche indiscrète, sont comme des flacons ouverts, dont la précieuse essence s'est répandue ou corrompue»; enfin des rubans blancs avec ces mots tissés en or dans la soie: «À un front pur les bandelettes sacrées; à une tête chargée d'infamie le cordon, supplice des esclaves.»

Consuelo releva ses cheveux, et les rattacha complaisamment, à la manière antique, avec ces bandelettes. Puis elle examina curieusement le bizarre palais enchanté où sa destinée romanesque l'avait amenée. Elle passa dans les diverses pièces de son riche et vaste appartement. Une bibliothèque, un salon de musique, rempli d'instruments parfaits, de partitions nombreuses et de précieux manuscrits; un boudoir délicieux, une petite galerie ornée de tableaux superbes et de charmantes statues. C'était un logement digne d'une reine pour la richesse, d'une artiste pour le goût, et d'une religieuse pour la chasteté. Consuelo, étourdie de cette somptueuse et délicate hospitalité, se réserva d'examiner en détail et à tête reposée tous les symboles cachés dans le choix des livres, des objets d'art et des tableaux qui décoraient ce sanctuaire. La curiosité de savoir en quel lieu de la terre était située cette résidence merveilleuse lui fit abandonner l'intérieur pour l'extérieur. Elle s'approcha d'une fenêtre; mais avant de lever le store de taffetas qui la couvrait, elle y lut encore une sentence: «Si la pensée du mal est dans ton cœur, tu n'es pas digne de contempler le divin spectacle de la nature. Si la vertu habite dans ton âme, regarde et bénis le Dieu qui t'ouvre l'entrée du paradis terrestre.» Elle se hâta d'ouvrir la fenêtre pour voir si l'aspect de cette contrée répondait aux orgueilleuses promesses de l'inscription. C'était un paradis terrestre, en effet, et Consuelo crut faire un rêve. Ce jardin, planté à l'anglaise, chose fort rare à cette époque, mais orné dans ses détails avec la recherche allemande, offrait les perspectives riantes, les magnifiques ombrages, les fraîches pelouses, les libres développements d'un paysage naturel, en même temps que l'exquise propreté, les fleurs abondantes et suaves, les sables fins, les eaux cristallines qui caractérisent un jardin entretenu avec intelligence et avec amour. Audessus de ces beaux arbres, hautes barrières d'un étroit vallon semé ou plutôt tapissé de fleurs, et coupé de ruisseaux gracieux et limpides, s'élevait un sublime horizon de montagnes bleues, aux croupes variées, aux cimes imposantes. Le pays était inconnu à Consuelo. Aussi loin que sa vue pouvait s'étendre, elle ne trouvait aucun indice révélateur d'une contrée particulière en Allemagne, où il y a tant de beaux sites et de nobles montagnes. Seulement, la floraison plus avancée et le climat plus chaud qu'en Prusse lui attestaient quelques pas de plus faits vers le Midi. «O mon bon chanoine, où êtesvous? pensa Consuelo en contemplant les bois de lilas blancs et les haies de roses, et la terre jonchée de narcisses, de jacinthes et de violettes. O Frédéric de Prusse, béni soyezvous pour m'avoir appris par de longues privations et de cruels ennuis à savourer, comme je le dois, les délices d'un pareil refuge! Et vous, toutpuissant invisible, retenezmoi éternellement dans cette douce captivité; j'y consens de toute mon âme... surtout si le chevalier...» Consuelo n'acheva pas de formuler son désir. Depuis qu'elle était sortie de sa léthargie, elle n'avait pas encore pensé à l'inconnu. Ce souvenir brûlant se réveilla en elle, et la fit réfléchir au sens des paroles menaçantes inscrites sur tous les murs, sur tous les meubles du palais magique, et jusque sur les ornements dont elle s'était ingénument parée.

Consuelo ressentait, par dessus tout, un désir et un besoin de liberté, bien naturels après tant de jours d'esclavage. Elle éprouva donc un plaisir extrême à s'élancer dans un vaste espace, que les soins de l'art et l'ingénieuse disposition des massifs et des allées faisaient paraître beaucoup plus vaste encore. Mais au bout de deux heures de promenade, elle se sentit attristée par la solitude et le silence qui régnaient dans ces beaux lieux. Elle en avait fait déjà plusieurs fois le tour, sans y rencontrer seulement la trace d'un pied humain sur le sable fin et fraîchement passé au râteau. Des murailles assez élevées, que masquait une épaisse végétation, ne lui permettaient pas de s'égarer au hasard dans des sentiers inconnus. Elle savait déjà par cœur tous ceux qui se croisaient sous ses pas. Dans quelques endroits, le mur s'interrompait pour être remplacé par de larges fossés remplis d'eau, et les regards pouvaient plonger sur de belles pelouses montant en collines et terminées par des bois, ou sur l'entrée des mystérieuses et charmantes allées qui se perdaient sous le taillis en serpentant. De sa fenêtre, Consuelo avait vu toute la nature à sa disposition: de plainpied, elle se trouvait dans un terrain encaissé, borné de toutes parts, et dont toutes les recherches intérieures ne pouvaient lui dissimuler le sentiment de sa captivité. Elle chercha le palais enchanté où elle s'était éveillée. C'était un trèspetit édifice à l'italienne, décoré avec luxe à l'intérieur, élégamment bâti au dehors, et adossé contre un rocher à pic d'un effet pittoresque, mais qui formait une meilleure clôture naturelle pour tout le fond du jardin et un plus impénétrable obstacle à la vue que les plus hautes murailles et les plus épais glacis de Spandaw. «Ma forteresse est belle, se dit Consuelo, mais elle n'en est que mieux close, je le vois bien.»

Elle alla se reposer sur la terrasse d'habitation, qui était ornée de vases de fleurs et surmontée d'un petit jet d'eau. C'était un endroit ravissant; et pour n'embrasser que l'intérieur d'un jardin, quelques échappées sur un grand parc, et de hautes montagnes dont les cimes bleues dépassaient celles des arbres, la vue n'en était que plus fraîche et plus suave. Mais Consuelo, instinctivement effrayée du soin qu'on prenait de l'installer, peutêtre pour longtemps, dans une nouvelle prison, eut donné tous les catalpas en fleurs et toutes les platesbandes émaillées pour un coin de franche campagne, avec une maisonnette en chaume, des chemins raboteux et l'aspect libre d'un pays possible à connaître et à explorer. D'où elle était, elle n'avait pas de plans intermédiaires à découvrir entre les hautes murailles de verdure de son enclos et les vagues horizons dentelés, déjà perdus dans la brume du couchant. Les rossignols chantaient admirablement, mais pas un son de voix humaine n'annonçait le voisinage d'une habitation. Consuelo voyait bien que la sienne, située aux confins d'un grand parc et d'une forêt peutêtre immense, n'était qu'une dépendance d'un plus vaste manoir. Ce qu'elle apercevait du parc ne servait qu'à lui faire désirer d'en voir davantage. Elle n'y distinguait d'autres promeneurs que des troupeaux de biches et de chevreuils paissant aux flancs des collines, avec autant de confiance que si l'approche d'un mortel eût été pour eux un événement inconnu. Enfin la brise du soir écarta un rideau de peupliers qui fermait un des côtés du jardin, et Consuelo aperçut, aux dernières lueurs du jour, les tourelles blanches et les toits aigus d'un château assez considérable, à demi caché derrière un mamelon boisé, à la distance d'un quart de lieue environ. Malgré tout son désir de ne plus penser au chevalier, Consuelo se persuada qu'il devait être là; et ses yeux se fixèrent avidement sur ce château, peutêtre imaginaire, dont l'approche lui semblait interdite, et que les voiles du crépuscule faisaient lentement disparaître dans l'éloignement.

Lorsque la nuit fut tout à fait tombée, Consuelo vit le reflet des lumières, à l'étage inférieur de son pavillon, courir sur les arbustes voisins, et elle descendit à la hâte, espérant voir enfin une figure humaine dans sa demeure. Elle n'eut pas ce plaisir; celle du domestique qu'elle trouva occupé à allumer les bougies et à servir le souper était, comme celle du docteur, couverte d'un masque noir, qui semblait être l'uniforme des Invisibles. C'était un vieux serviteur, en perruque lisse et roide comme du laiton, proprement vêtu d'un habit complet couleur pomme d'amour.

«Je demande humblement pardon à Madame, ditil d'une voix cassée, de me présenter devant elle avec ce visagelà. C'est ma consigne, et il ne m'appartient pas d'en comprendre la nécessité. J'espère que Madame aura la bonté de s'y habituer, et qu'elle daignera ne pas avoir peur de moi. Je suis aux ordres de Madame. Je m'appelle Matteus. Je suis à la fois gardien de ce pavillon, directeur du jardin, maître d'hôtel et valet de chambre. On m'a dit que Madame, ayant beaucoup voyagé, avait un peu l'habitude de se servir toute seule; que, par exemple, elle n'exigerait peutêtre pas l'aide d'une femme. Il me serait difficile d'en procurer une à Madame, vu que je n'en ai point, et que la fréquentation de ce pavillon est interdite à toutes celles du château. Cependant, une servante entrera ici le matin pour m'aider à faire le ménage, et un garçon jardinier viendra de temps en temps arroser les fleurs et entretenir les allées. J'ai, à ce propos, une trèshumble observation à faire à Madame: c'est que tout domestique, autre que moi, à qui Madame serait seulement soupçonnée d'avoir adressé un mot ou fait un signe serait chassé à l'instant même; ce qui serait bien malheureux pour lui, car la maison est bonne et l'obéissance bien récompensée. Madame est trop généreuse et trop juste, sans doute, pour vouloir exposer ces pauvres gens...

Soyez tranquille, monsieur Matteus, répondit Consuelo, je ne serais pas assez riche pour les dédommager, et il n'est pas dans mon caractère de détourner qui que ce soit de son devoir.

D'ailleurs, je ne les perdrai jamais de vue, reprit Matteus, comme se parlant à luimême.

Vous pouvez vous épargner toute précaution à cet égard. J'ai de trop grandes obligations aux personnes qui m'ont amenée ici, et je pense, aussi à celles qui m'y reçoivent, pour rien tenter qui puisse leur déplaire.

Ah! Madame est ici de son plein gré? demanda Matteus, à qui la curiosité ne semblait pas aussi interdite que l'expansion.

Je vous prie de m'y considérer comme captive volontaire, et sur parole.

Oh! c'est bien ainsi que je l'entends. Je n'ai jamais gardé personne autrement, quoique j'aie vu bien souvent mes prisonniers sur parole pleurer et se tourmenter comme s'ils regrettaient de s'être engagés. Et Dieu sait pourtant qu'ils étaient bien ici! Mais, dans ces caslà, on leur rendait toujours leur parole quand ils l'exigeaient; on ne retient ici personne de force. Le souper de Madame est servi.»

L'avantdernier mot du majordome couleur de tomate eut le pouvoir de rendre tout à coup l'appétit à sa nouvelle maîtresse; et elle trouva le souper si bon, qu'elle en fit de grands compliments à l'auteur. Celuici parut trèsflatté de se voir apprécié, et Consuelo vit bien qu'elle avait gagné son estime; mais il n'en fut ni plus confiant ni moins circonspect. C'était un excellent homme, à la fois naïf et rusé. Consuelo connut vite son caractère, en voyant avec quel mélange de bonhomie et d'adresse il prévenait toutes les questions qu'elle eût pu lui faire, pour n'en être pas embarrassé, et arranger les réponses à son gré. Ainsi elle apprit de lui tout ce qu'elle ne lui demandait pas, sans rien apprendre toutefois: «Ses maîtres étaient des personnages fort riches, fort puissants, trèsgénéreux, mais trèssévères, particulièrement sur l'article de la discrétion. Le pavillon faisait partie d'une belle résidence, tantôt habitée par les maîtres, tantôt confiée à la garde de serviteurs trèsfidèles, trèsbien payés et trèsdiscrets. Le pays était riche, fertile et bien gouverné. Les habitants n'avaient pas l'habitude de se plaindre de leurs seigneurs: d'ailleurs ils n'eussent pas eu beau jeu avec maître Matteus, qui vivait dans le respect des lois et des personnes, et qui ne pouvait souffrir les paroles indiscrètes.» Consuelo fut si ennuyée de ses savantes insinuations et de ses renseignements officieux, qu'elle lui dit en souriant, aussitôt après le souper: «Je craindrais d'être indiscrète moimême, monsieur Matteus, en jouissant plus longtemps de l'agrément de votre conversation; je n'ai plus besoin de rien pour aujourd'hui, et je vous souhaite le bonsoir.

Madame me fera l'honneur de me sonner quand elle voudra quoi que ce soit, repritil. Je demeure derrière la maison, sous le rocher, dans un joli ermitage où je cultive des melons d'eau magnifiques. Je serais bien flatté que Madame put leur accorder un coup d'œil d'encouragement; mais il m'est particulièrement interdit d'ouvrir jamais cette porte à Madame.

J'entends, maître Matteus, je ne dois jamais sortir que dans le jardin, et je ne dois pas m'en prendre à votre caprice, mais à la volonté de mes hôtes. Je m'y conformerai.

D'autant plus que Madame aurait bien de la peine à ouvrir cette porte. Elle est si lourde...; et puis il y a un secret à la serrure qui pourrait blesser grièvement les mains de Madame, si elle n'était pas prévenue.

Ma parole est plus solide encore que tous vos verrous, monsieur Matteus. Dormez en paix, comme je suis disposée à le faire de mon côté.»

Plusieurs jours s'écoulèrent sans que Consuelo reçût signe de vie de la part de ses hôtes, et sans qu'elle eût d'autre visage sous les yeux que le masque noir de Matteus, plus agréable peutêtre que sa véritable figure. Ce digne serviteur la servait avec un zèle et une ponctualité dont elle ne pouvait assez le remercier; mais il l'ennuyait prodigieusement par sa conversation, qu'elle était obligée de subir; car il refusa constamment avec stoïcisme les dons qu'elle voulut lui faire, et elle n'eut pas d'autre manière de lui marquer sa reconnaissance qu'en le laissant babiller. Il aimait passionnément l'usage de la parole, et cela était d'autant plus remarquable que, voué par état à une réserve bizarre, il ne s'en départait jamais, et possédait l'art de toucher à beaucoup de sujets sans jamais effleurer les cas réservés confiés à sa discrétion. Consuelo apprit de lui combien le potager du château produisait au juste chaque année de carottes et d'asperges; combien il naissait de faons dans le parc, l'histoire de tous les cygnes de la pièce d'eau, de tous les poussins de la faisanderie, et de tous les ananas de la serre. Mais elle ne put soupçonner un instant dans quel pays elle se trouvait; si le maître ou les maîtres du château étaient absents ou présents, si elle devait communiquer un jour avec eux, ou rester indéfiniment seule dans le pavillon.

En un mot, rien de ce qui l'intéressait réellement ne s'échappa des lèvres prudentes et pourtant actives de Matteus. Elle eût craint de manquer à toute délicatesse en approchant seulement à la portée de la voix du jardinier ou de la servante, qui, du reste, étaient fort matineux et disparaissaient presque aussitôt qu'elle était levée. Elle se borna à jeter de temps en temps un regard dans le parc, sans y voir passer personne, si ce n'est de trop loin pour l'observer, et à contempler le faîte du château qui s'illuminait le soir de rares lumières toujours éteintes de bonne heure.

Elle ne tarda pas à tomber dans une profonde mélancolie, et l'ennui, qu'elle avait victorieusement combattu à Spandaw, vint l'assaillir et la dominer dans cette riche demeure, au milieu de toutes les aises de la vie. Estil des biens sur la terre dont on puisse jouir absolument seul? La solitude prolongée assombrit et désenchante les plus beaux objets; elle répand l'effroi dans l'âme la plus forte. Consuelo trouva bientôt l'hospitalité des Invisibles encore plus cruelle que bizarre, et un dégoût mortel s'empara de toutes ses facultés. Son magnifique clavecin lui sembla répandre des sons trop éclatants dans ces chambres vides et sonores, et les accents de sa propre voix lui firent peur. Lorsqu'elle se hasardait à chanter, si les premières ombres de la nuit la surprenaient dans cette occupation, elle s'imaginait entendre les échos lui répondre d'un ton courroucé, et croyait voir courir, contre les murs tendus de soie et sur les tapis silencieux, des ombres inquiètes et furtives, qui, lorsqu'elle essayait de les regarder, s'effaçaient et allaient se tapir derrière les meubles pour chuchoter, la railler et la contrefaire. Ce n'étaient pourtant que les brises du soir courant parmi le feuillage qui encadrait ses croisées, ou les vibrations de son propre chant qui frémissaient autour d'elle. Mais son imagination, lasse d'interroger tous ces muets témoins de son ennui, les statues, les tableaux, les vases du Japon remplis de fleurs, les grandes glaces claires et profondes, commençait à se laisser frapper d'une crainte vague, comme celle que produit l'attente d'un événement inconnu. Elle se rappelait le pouvoir étrange attribué aux Invisibles par le vulgaire, les prestiges dont elle avait été environnée par Cagliostro, l'apparition de la femme blanche dans le palais de Berlin, les promesses merveilleuses du comte de Saint Germain relativement à la résurrection du comte Albert: elle se disait que toutes ces choses inexpliquées émanaient probablement de l'action secrète des Invisibles dans la société et dans sa destinée particulière. Elle ne croyait point à leur pouvoir surnaturel, mais elle voyait bien qu'ils s'attachaient à conquérir les esprits par tous les moyens, en s'adressant soit au cœur, soit à l'imagination, par des menaces ou des promesses, par des terreurs ou des séductions. Elle était donc sous le coup de quelque révélation formidable ou de quelque mystification cruelle, et, comme les enfants poltrons, elle eût pu dire qu'elle avait peur d'avoir peur.

À Spandaw, elle avait roidi sa volonté contre des périls extrêmes, contre des souffrances réelles; elle avait triomphé de tout avec vaillance; et puis la résignation lui semblait naturelle à Spandaw. L'aspect sinistre d'une forteresse est en harmonie avec les tristes méditations de la solitude; au lieu que dans sa nouvelle prison tout semblait disposé pour une vie d'épanchement poétique ou de paisible intimité; et ce silence éternel, cette absence de toute sympathie humaine en détruisaient l'harmonie comme un monstrueux contresens. On eût dit de la délicieuse retraite de deux amants heureux ou d'une élégante famille, riant foyer tout à coup haï et délaissé à cause de quelque rupture douloureuse ou de quelque soudaine catastrophe. Les nombreuses inscriptions qui la décoraient, et qui se trouvaient placées dans tous les ornements, ne la faisaient plus sourire comme d'emphatiques puérilités. C'étaient des encouragements joints à des menaces, des éloges conditionnels corrigés par d'humiliantes accusations. Elle ne pouvait plus lever les yeux autour d'elle sans découvrir quelque nouvelle sentence qu'elle n'avait pas encore remarquée, et qui semblait lui défendre de respirer à l'aise dans ce sanctuaire d'une justice soupçonneuse et vigilante. Son âme s'était affaissée sur ellemême après la crise de son évasion et celle de son amour improvisé pour l'inconnu. L'état léthargique qu'on avait provoqué, sans doute à dessein, chez elle, pour lui cacher la situation de son asile, lui avait laissé une secrète langueur, jointe à l'irritabilité nerveuse qui en est la conséquence. Elle se sentit donc en peu de temps devenir à la fois inquiète et nonchalante, tour à tour effrayée d'un rien et indifférente à tout.

Un soir, elle crut entendre les sons, à peine saisissables, d'un orchestre dans le lointain. Elle monta sur la terrasse, et vit le château resplendissant de lumières à travers le feuillage. Une musique de symphonie, fière et vibrante, parvint distinctement jusqu'à elle. Ce contraste d'une fête et de son isolement l'émut plus qu'elle ne voulait se l'avouer. Il y avait si longtemps qu'elle n'avait échangé une parole avec des êtres intelligents ou raisonnables! Pour la première fois de sa vie, elle se fit une idée merveilleuse d'une nuit de concert ou de bal, et, comme Cendrillon, elle souhaita que quelque bonne fée l'enlevât dans les airs et la fit entrer dans le palais enchanté par une fenêtre, fûtce pour y rester invisible, et y jouir de la vue d'une réunion d'êtres humains animés par le plaisir.

La lune n'était pas encore levée. Malgré la pureté du ciel, l'ombre était si épaisse sous les arbres, que Consuelo pouvait bien s'y glisser sans être aperçue, fûtelle entourée d'invisibles surveillants. Une violente tentation vint s'emparer d'elle, et toutes les raisons spécieuses que la curiosité nous suggère quand elle veut livrer un assaut à notre conscience, se présentèrent en foule à son esprit. L'avaiton traitée avec confiance, en l'amenant endormie et à demi morte dans cette prison dorée, mais implacable? Avaiton le droit d'exiger d'elle une aveugle soumission, lorsqu'on ne daignait même pas la lui demander? D'ailleurs, ne voulaiton pas la tenter et l'attirer par le simulacre d'une fête? Qui sait? tout était bizarre dans la conduite des Invisibles. Peutêtre, en essayant de sortir de l'enclos, allaitelle trouver précisément une porte ouverte, une gondole sur le ruisseau qui entrait du parc dans son jardin par une arcade pratiquée dans la muraille. Elle s'arrêta à cette dernière supposition, la plus gratuite de toutes, et descendit au jardin, résolue de tenter l'aventure. Mais elle n'eut pas fait cinquante pas qu'elle entendit dans les airs un bruit assez semblable à celui que produirait un oiseau gigantesque en s'élevant vers les nues avec une rapidité fantastique. En même temps elle vit autour d'elle une grande lueur d'un bleu livide, qui s'éteignit au bout de quelques secondes, pour se reproduire presque aussitôt avec une détonation assez forte. Consuelo comprit alors que ce n'était ni la foudre ni un météore, mais le feu d'artifice qui commençait au château. Ce divertissement de ses hôtes lui promettait un beau spectacle du haut de la terrasse, et, comme un enfant qui cherche à secouer l'ennui d'une longue pénitence, elle retourna à la hâte vers le pavillon.

Mais, à la clarté de ces longs éclairs factices, tantôt rouges et tantôt bleus, qui embrasaient le jardin, elle vit par deux fois un grand homme noir, debout et immobile à côté d'elle. Elle n'avait pas eu le temps de le regarder, que la bombe lumineuse, retombant en pluie de feu, s'éteignait rapidement, et laissait tous les objets plongés dans une obscurité plus profonde pour les yeux un instant éblouis. Alors Consuelo, effrayée, courait dans un sens opposé à celui où le spectre lui était apparu; mais, au retour de la lueur sinistre, elle se retrouvait à deux pas de lui. À la troisième fois, elle avait gagné le perron du pavillon; il était devant elle, lui barrant le passage. Saisie d'une terreur insurmontable, elle fit un cri perçant et chancela. Elle fût tombée à la renverse sur les degrés, si le mystérieux visiteur ne l'eût saisie dans ses bras. Mais à peine eut-il effleuré son front de ses lèvres, qu'elle sentit et reconnut le chevalier, l'inconnu, celui qu'elle aimait, et dont elle se savait aimée.

La joie qu'elle éprouva de le retrouver comme un ange de consolation dans cette insupportable solitude fit taire tous les scrupules et toutes les craintes qu'elle avait encore dans l'esprit un instant auparavant, en songeant à lui sans espérance prochaine de le revoir. Elle répondit à son étreinte avec passion; et, comme il tâchait déjà de se dégager de ses bras pour ramasser son masque noir qui était tombé, elle le retint en s'écriant: «Ne me quittez pas, ne m'abandonnez pas!» Sa voix était suppliante, ses caresses irrésistibles. L'inconnu se laissa tomber à ses pieds, et, cachant son visage dans les plis de sa robe, qu'il couvrit de baisers, il resta quelques instants comme partagé entre le ravissement et le désespoir; puis, ramassant son masque et glissant une lettre dans la main de Consuelo, il s'élança dans le pavillon, et disparut sans qu'elle eût pu apercevoir ses traits.

Elle le suivit, et, à la lueur d'une petite lampe d'albâtre que Matteus allumait chaque soir au fond de l'escalier, elle espéra le retrouver; mais, avant qu'elle eût monté quelques marches, il était devenu insaisissable. Elle parcourut en vain tous les recoins du pavillon; elle n'aperçut aucune trace de lui, et, sans la lettre qu'elle tenait dans sa main tremblante, elle eût pu croire qu'elle avait rêvé.

Enfin elle se décida à rentrer dans son boudoir, pour lire cette lettre dont l'écriture lui parut cette fois plutôt contrefaite à dessein qu'altérée par la souffrance. Elle contenait à peu près ce qui suit:

«Je ne puis ni vous voir ni vous parler; mais il ne m'est pas défendu de vous écrire. Me le permettrez-vous? Oserez-vous répondre à l'inconnu? Si j'avais ce bonheur, je pourrais trouver vos lettres et placer les miennes, durant votre sommeil, dans un livre que vous laisseriez le soir sur le banc du jardin au bord de l'eau. Je vous aime avec passion, avec idolâtrie, avec égarement. Je suis vaincu, ma force est brisée; mon activité, mon zèle, mon enthousiasme pour l'œuvre à laquelle je me suis voué, tout, jusqu'au sentiment du devoir, est anéanti en moi, si vous ne m'aimez pas. Lié à des devoirs étranges et terribles par mes serments, par le don et l'abandon de ma volonté, je flotte entre la pensée de l'infamie et celle du suicide; car je ne puis me persuader que vous m'aimiez réellement, et qu'à l'heure où nous sommes, la méfiance et la peur n'aient pas déjà effacé votre amour involontaire pour moi. Pourraitil en être autrement? Je ne suis pour vous qu'une ombre, le rêve d'une nuit, l'illusion d'un instant. Eh bien! pour me faire aimer de vous, je me sens prêt, vingt fois le jour, à sacrifier mon honneur, à trahir ma parole, à souiller ma conscience d'un parjure. Si vous parveniez à fuir cette prison, je vous suivrais au bout du monde, dusséje expier, par une vie de honte et de remords, l'ivresse de vous voir, ne fûtce qu'un jour, et de vous entendre dire encore, ne fûtce qu'une fois: «Je vous aime.» Et cependant, si vous refusez de vous associer à l'œuvre des Invisibles, si les serments qu'on va sans doute exiger de vous bientôt vous effraient et vous répugnent, il me sera défendu de vous revoir jamais!... Mais je n'obéirai pas, je ne pourrai pas obéir. Non! j'ai assez souffert, j'ai assez travaillé, j'ai assez servi la cause de l'humanité; si vous n'êtes pas la récompense de mon labeur, j'y renonce; je me perds en retournant au monde, à ses lois et à ses habitudes. Ma raison est troublée, vous le voyez. Oh! ayez, ayez pitié! Ne me dites pas que vous ne m'aimez plus. Je ne pourrais supporter ce coup, je ne voudrais pas le croire, ou, si je le croyais, il faudrait mourir.»

Consuelo lut ce billet au milieu du bruit des fusées et des bombes du feu d'artifice qui éclatait dans les airs sans qu'elle l'entendît. Tout entière à sa lecture, elle éprouvait cependant, sans en avoir conscience, la commotion électrique que causent, surtout aux organisations impressionnables, la détonation de la poudre et en général tous les bruits violents. Celuilà influe particulièrement sur l'imagination, quand il n'agit pas physiquement sur un corps débile et maladif par des tressaillements douloureux. Il exalte, au contraire, l'esprit et les sens des gens braves et bien constitués. Il réveille même chez quelques femmes des instincts intrépides, des idées de combat, et comme de vagues regrets de ne pas être hommes. Enfin, s'il y a un accent bien marqué qui fait trouver une sorte de jouissance quasi musicale dans la voix du torrent qui se précipite, dans le mugissement de la vague qui se brise, dans le roulement de la foudre; cet accent de colère, de menace, de fierté, cette voix de la force, pour ainsi dire, se retrouve dans le bondissement du canon, dans le sifflement des boulets, et dans les mille déchirements de l'air qui simulent le choc d'une bataille dans les feux d'artifice. Consuelo en éprouva peutêtre l'effet, tout en lisant la première lettre d'amour proprement dite, le premier billet doux qu'elle eût jamais reçu. Elle se sentit courageuse, brave, et quasi téméraire. Une sorte d'enivrement lui fit trouver cette déclaration d'amour plus chaleureuse et plus persuasive que toutes les paroles d'Albert, de même qu'elle avait trouvé le baiser de l'inconnu plus suave et plus ardent que tous ceux d'Anzoleto. Elle se mit donc à écrire sans hésitation; et, tandis que les boîtes fulminantes ébranlaient les échos du parc, que l'odeur du salpêtre étouffait le parfum des fleurs, et que les feux du Bengale illuminaient la façade du pavillon sans qu'elle daignât s'en apercevoir, Consuelo répondit:

«Oui, je vous aime, je l'ai dit, je vous l'ai avoué, et, dusséje m'en repentir, dusséje en rougir mille fois, je ne pourrai jamais effacer du livre bizarre et incompréhensible de ma destinée cette page que j'y ai écrite moimême, et qui est entre vos mains! C'était l'expression d'un élan condamnable, insensé peutêtre, mais profondément vrai et ardemment senti. Fussiezvous le dernier des hommes, je n'en aurais pas moins placé en vous mon idéal! Dussiezvous m'avilir par une conduite méprisante et cruelle, je n'en aurais pas moins éprouvé, au contact de votre cœur, une ivresse que je n'avais jamais goûtée, et qui m'a paru aussi sainte que les anges sont purs. Vous le voyez, je vous répète ce que vous m'écriviez en réponse aux confidences que j'avais adressées à Beppo. Nous ne faisons que nous répéter l'un à l'autre ce dont nous sommes, je le crois, vivement pénétrés et loyalement persuadés tous les deux. Pourquoi et comment nous tromperionsnous? Nous ne nous connaissons pas; nous ne nous connaîtrons peutêtre jamais. Étrange fatalité! nous nous aimons pourtant, et nous ne pouvons pas plus nous expliquer les causes premières de cet amour qu'en prévoir les fins mystérieuses. Tenez, je m'abandonne à votre parole, à votre honneur; je ne combats point le sentiment que vous m'inspirez. Ne me laissez pas m'abuser moimême. Je ne vous demande au monde qu'une chose, c'est de ne pas feindre de m'aimer, c'est de jamais me revoir si vous ne m'aimez pas; c'est de m'abandonner à mon sort, quel qu'il soit, sans craindre que je vous accuse ou que je vous maudisse pour cette rapide illusion de bonheur que vous m'aurez donnée. Il me semble que ce que je vous demande là est si facile! Il est des instants où je suis effrayée, je vous le confesse, de l'aveugle confiance qui me pousse vers vous. Mais dès que vous paraissez, dès que ma main est dans la vôtre, ou quand je regarde votre écriture (votre écriture qui est pourtant contrefaite et tourmentée, comme si vous ne vouliez pas que je puisse connaître de vous le moindre indice extérieur et visible); enfin, quand j'entends seulement le bruit de vos pas, toutes mes craintes s'évanouissent, et je ne puis pas me défendre de croire que vous êtes mon meilleur ami sur la terre. Mais pourquoi vous cacher ainsi? Quel effrayant secret couvrent donc votre masque et votre silence? Vous aije vu ailleurs? Doisje vous craindre et vous repousser le jour où je saurai votre nom, où je verrai vos traits? Si vous m'êtes absolument inconnu, comme vous me l'avez écrit, d'où vient que vous obéissez si aveuglément à la loi étrange des Invisibles, lorsque vous m'écrivez pourtant aujourd'hui que vous êtes prêt à vous en affranchir pour me suivre au bout du monde? Et si je l'exigeais, pour fuir avec vous, que vous n'eussiez plus de secrets pour moi, ôteriezvous ce masque? me parleriezvous? Pour arriver à vous connaître, il faut, ditesvous, que je m'engage... à quoi? que je me lie par des serments aux Invisibles?... Mais pour quelle œuvre? Quoi! il faut que les yeux fermés, la conscience muette, et l'esprit dans les ténèbres, je donne et j'abandonne ma volonté, comme vous l'avez fait vousmême du moins avec connaissance de cause? Et pour me décider à ces actes inouïs d'un dévouement aveugle, vous ne ferez pas la plus légère infraction aux règlements de votre ordre! Car, je le vois bien, vous appartenez à un de ces ordres mystérieux qu'on appelle ici sociétés secrètes, et qu'on dit être nombreuses en Allemagne. A moins que ce ne soit tout simplement un complot politique contre... comme on me le disait à Berlin. Eh bien, quoi que ce soit, si on me laisse la liberté de refuser quand on m'aura instruite de ce qu'on exige de moi, je m'engagerai par les plus terribles serments à ne jamais rien révéler. Puisje faire plus sans être indigne de l'amour d'un homme qui pousse le scrupule et la fidélité à son serment jusqu'à ne pas vouloir me faire entendre ce mot que j'ai prononcé moimême, au mépris de la prudence et de la pudeur imposées à mon sexe: Je vous aime!»

Consuelo mit cette lettre dans un livre qu'elle alla déposer dans le jardin au lieu indiqué; puis elle s'éloigna à pas lents, et se tint longtemps cachée dans le feuillage, espérant voir arriver le chevalier, et tremblant de laisser là cet aveu de ses plus intimes sentiments, qui pouvait tomber dans des mains étrangères. Cependant, comme les heures s'écoulaient sans que personne parût, et qu'elle se souvenait de ces paroles de la lettre de l'inconnu: «J'irai prendre votre réponse durant votre sommeil,» elle jugea qu'elle devait se conformer en tout à ses avis, et se retira dans son appartement où, après mille rêveries agitées, tour à tour pénibles et délicieuses, elle finit par s'endormir au bruit incertain de la musique du bal qui recommençait, des fanfares qui sonnèrent durant le souper, et du roulement lointain des voitures qui annonça, au lever de l'aube, le départ des nombreux hôtes de la résidence.

A neuf heures précises, la recluse entra dans la salle où elle prenait ses repas, qu'elle y trouvait toujours servis avec une exactitude scrupuleuse et une recherche digne du local. Matteus se tenait debout derrière sa chaise, dans l'attitude respectueusement flegmatique qui lui était habituelle. Consuelo venait de descendre au jardin. Le chevalier était venu prendre sa lettre, car elle n'était plus dans le livre. Mais Consuelo avait espéré trouver une nouvelle lettre de lui, et elle l'accusait déjà de mettre de la tiédeur dans leur correspondance. Elle se sentait inquiète, excitée, et un peu poussée à bout par l'immobilité de la vie qu'on semblait s'obstiner à lui faire. Elle se décida donc à s'agiter au hasard pour voir si elle ne hâterait pas le cours des événements lentement préparés autour d'elle. Précisément ce jourlà, pour la première fois, Matteus était sombre et taciturne.

«Maître Matteus, ditelle avec une gaieté forcée, je vois à travers votre masque que vous avez les yeux battus et le teint fatigué; vous n'avez guère dormi cette nuit.

Madame me fait trop d'honneur de vouloir bien me railler, répondit Matteus avec un peu d'aigreur; mais comme Madame a le bonheur de vivre le visage découvert, je suis plus à portée de voir qu'elle m'attribue la fatigue et l'insomnie dont elle a souffert ellemême cette nuit.

Vos miroirs parlants m'ont dit cela avant vous, monsieur Matteus: je sais que je suis fort enlaidie, et je pense que je le serai bientôt davantage si l'ennui s'obstine à me consumer.

Madame s'ennuie? reprit Matteus du ton dont il eût dit «madame a sonné?»

Oui, Matteus, je m'ennuie énormément, et je commence à ne pouvoir plus supporter cette réclusion. Comme on ne m'a fait ni l'honneur d'une visite, ni celui d'une lettre, je présume qu'on m'a oubliée ici; et puisque vous êtes la seule personne qui veuille bien n'en pas faire autant, je crois qu'il m'est permis de vous dire que je commence à trouver ma situation embarrassante et bizarre.

Je ne peux pas me permettre de juger la situation de Madame, répondit Matteus; mais il me semblait que Madame avait reçu, il n'y a pas longtemps, une visite et une lettre?

Qui vous a dit pareille chose, maître Matteus? s'écria Consuelo en rougissant.

Je le dirais, réponditil d'un ton ironiquement patelin, si je ne craignais d'offenser Madame, et de l'ennuyer en me permettant de causer avec elle.

Si vous étiez mon domestique, maître Matteus, j'ignore quels airs de grandeur je pourrais prendre avec vous; mais comme jusqu'à présent je n'ai guère eu d'autre serviteur que moimême, et que, d'ailleurs, vous me paraissez être ici mon gardien encore plus que mon majordome, je vous engage à causer si cela vous plaît, autant que les autres jours. Vous avez trop d'esprit ce matin pour m'ennuyer.

C'est que Madame s'ennuie trop ellemême pour être difficile en ce moment. Je dirai donc à Madame qu'il y a eu cette nuit grande fête au Château.

Je le sais, j'ai entendu le feu d'artifice et la musique.

Alors, une personne qui est fort surveillée ici depuis l'arrivée de Madame, a cru pouvoir profiter du désordre et du bruit pour s'introduire dans le parc réservé, au mépris de la défense la plus sévère. Il en est résulté un événement fâcheux... Mais je crains de causer quelque chagrin à Madame en le lui apprenant.

Je crois maintenant le chagrin préférable à l'ennui et à l'inquiétude. Dites donc vite, monsieur Matteus?

Eh bien! madame, j'ai vu conduire en prison, ce matin, le plus aimable, le plus jeune, le plus beau, le plus brave, le plus généreux, le plus spirituel, le plus grand de tous mes maîtres, le chevalier de Liverani.

Liverani? Qui s'appelle Liverani? s'écria Consuelo, vivement émue. En prison, le chevalier? Ditesmoi!... Oh! mon Dieu! quel est ce chevalier, quel est ce Liverani?

Je l'ai assez désigné à Madame. J'ignore si elle le connaît peu ou beaucoup; mais, ce qu'il y a de certain, c'est qu'il a été conduit à la grosse tour pour avoir parlé et écrit à Madame, et pour n'avoir pas voulu faire connaître à Son Altesse la réponse que Madame lui a faite.

La grosse tour... Son Altesse... tout ce que vous me dites là estil sérieux, Matteus? Suisje ici sous la dépendance d'un Prince souverain qui me traite en prisonnière d'Etat, et qui châtie ses sujets, pour peu qu'ils me témoignent quelque intérêt et quelque pitié? Ou bien suisje mystifiée par quelque riche seigneur à idées bizarres, qui essaie de m'effrayer afin d'éprouver ma reconnaissance pour les services rendus?

Il ne m'est point défendu de dire à Madame qu'elle est en même temps chez un prince fort riche, chez un homme d'esprit grand philosophe...

Et chez le chef suprême du conseil des Invisibles? ajouta Consuelo.

J'ignore ce que Madame entend par là, répondit Matteus avec la plus complète indifférence. Dans la liste des titres et dignités de Son Altesse, je n'ai jamais entendu mentionner cette qualité.

Mais ne me seratil pas permis de voir ce prince, de me jeter à ses pieds, de lui demander la liberté de ce chevalier Liverani, qui est innocent de toute indiscrétion, j'en puis faire le serment?

Je n'en sais rien, et je crois que ce sera au moins trèsdifficile à obtenir. Cependant j'ai accès tous les soirs auprès de Son Altesse, pendant quelques instants, pour lui rendre compte de la santé et des occupations de Madame; et si Madame écrivait, peutêtre réussiraisje à faire lire le billet sans qu'il passât par les mains des secrétaires.

Cher monsieur Matteus, vous êtes la bonté même, et je suis sûre que vous devez avoir la confiance du prince. Oui, certainement, j'écrirai, puisque vous êtes assez généreux pour vous intéresser au chevalier.

Il est vrai que je m'y intéresse plus qu'à tout autre. Il m'a sauvé la vie, au risque de la sienne, dans un incendie. Il m'a soigné et guéri de mes brûlures. Il a remplacé les effets que j'avais perdus. Il a passé des nuits à me veiller, comme s'il eût été mon serviteur et moi son maître. Il a arraché au vice une nièce que j'avais, et il en a fait, par ses bonnes paroles et ses généreux secours, une honnête femme. Que de bien n'a-t-il pas fait dans toute cette contrée et dans toute l'Europe, à ce qu'on assure! C'est le jeune homme le plus parfait qui existe, et Son Altesse l'aime comme son propre fils.

Et pourtant Son Altesse l'envoie en prison pour une faute légère?

Oh! Madame ignore qu'il n'y a point de faute légère aux yeux de Son Altesse, en fait d'indiscrétion.

C'est donc un prince bien absolu?

Admirablement juste, mais terriblement sévère.

Et comment puis-je être pour quelque chose dans les préoccupations de son esprit et dans les décisions de son conseil?

Cela, je l'ignore, comme Madame peut bien le penser. Beaucoup de secrets s'agitent en tout temps dans ce château, surtout lorsque le prince y vient passer quelques semaines, ce qui n'arrive pas souvent. Un pauvre serviteur tel que moi qui se permettrait de vouloir les approfondir n'y serait pas souffert longtemps; et comme je suis le doyen des personnes attachées à la maison, Madame doit comprendre que je ne suis ni curieux ni bavard; autrement...

J'entends, monsieur Matteus. Mais sera-ce une indiscrétion de vous demander si la prison que subit le chevalier est rigoureuse?

Elle doit l'être, Madame. Quoique je ne sache rien de ce qui se passe dans la tour et dans les souterrains, j'y ai vu entrer plus de gens que je n'en ai vu sortir. J'ignore s'il y a des issues dans la forêt: pour moi, je n'en connais pas dans le parc.

Vous me faites trembler, Matteus. Serait-il possible que j'eusse attiré sur la tête de ce digne jeune homme des malheurs sérieux? Dites-moi, le prince est-il d'un caractère violent ou froid? Ses arrêts sont-ils dictés par une indignation passagère ou par un mécontentement réfléchi et durable?

Ce sont là des détails dans lesquels il ne me convient pas d'entrer, répondit froidement Matteus.

Eh bien, parlezmoi du chevalier, au moins. Estil homme à demander et à obtenir grâce, ou à se renfermer dans un silence hautain?

Il est tendre et doux, plein de respect et de soumission pour son Altesse. Mais si Madame lui a confié quelque secret, elle peut être tranquille: il se laisserait torturer plutôt que de livrer le secret d'un autre, fûtce à l'oreille d'un confesseur.

Eh bien, je le révélerai moimême à son Altesse, ce secret qu'elle juge assez important pour allumer sa colère contre un infortuné. Oh! mon bon Matteus, ne pouvezvous porter ma lettre tout de suite?

Impossible avant la nuit, Madame.

C'est égal, je vais écrire maintenant; une occasion imprévue peut se présenter.»

Consuelo rentra dans son cabinet, et écrivit pour demander au prince anonyme une entrevue dans laquelle elle s'engageait à répondre sincèrement à toutes les questions qu'il daignerait lui adresser.

A minuit, Matteus lui rapporta cette réponse cachetée:

«Si c'est au prince que vous voulez parler, votre demande est insensée. Vous ne le verrez, vous ne le connaîtrez jamais; vous ne saurez jamais son nom.Si c'est devant le conseil des Invisibles que tu veux comparaître, tu seras entendue; mais réfléchis aux conséquences de ta résolution: elle décidera de ta vie et de celle d'un autre.»

Il fallut encore patienter vingtquatre heures après cette lettre reçue. Matteus déclarait qu'il aimerait mieux se couper une main que de demander à voir le prince après minuit. Au déjeuner du lendemain, il se montra encore un peu plus expansif que la veille, et Consuelo crut remarquer que l'emprisonnement du chevalier l'avait aigri contre le prince, au point de lui donner une assez vive démangeaison d'être indiscret pour la première fois de sa vie. Cependant, lorsqu'elle l'eut fait causer pendant plus d'une heure, elle remarqua qu'elle n'était pas plus avancée qu'auparavant. Soit qu'il eût joué la simplicité pour étudier les pensées et les sentiments de Consuelo, soit qu'il ne sût rien relativement à l'existence des Invisibles et à la part que son maître prenait à leurs actes, il se trouva que Consuelo flottait dans une confusion étrange de notions contradictoires. Sur tout ce qui touchait à la position sociale du prince, Matteus s'était retranché dans l'impossibilité de manquer au silence rigoureux qu'on lui avait imposé. Il haussait, il est vrai, les épaules, en parlant de cette bizarre injonction. Il avouait qu'il ne comprenait pas la nécessité de porter un masque pour communiquer avec les personnes qui s'étaient succédé à des intervalles plus ou moins rapprochés, et pour des retraites plus ou moins longues, dans le pavillon. Il ne pouvait s'empêcher de dire que son maître avait des caprices inexplicables, et se livrait à des travaux incompréhensibles; mais toute curiosité, de même que toute indiscrétion, était paralysée chez lui par la crainte de châtiments terribles, sur la nature desquels il ne s'expliquait pas. En somme, Consuelo n'apprit rien, sinon qu'il se passait des choses singulières au château, que l'on n'y dormait guère la nuit, que tous les domestiques y avaient vu des esprits, que Matteus luimême, qui se déclarait hardi et sans préjugés, avait rencontré souvent l'hiver, dans le parc, à des époques où le prince était absent et le château désert, des figures qui l'avaient fait frémir, qui étaient entrées là sans qu'il sût comment et qui en étaient sorties de même. Tout cela ne jetait pas une grande clarté sur la situation de Consuelo. Il lui fallut se résigner à attendre le soir pour envoyer cette nouvelle pétition:

«Quoi qu'il en puisse résulter pour moi, je demande instamment et humblement à comparaître devant le tribunal des Invisibles.»

La journée lui sembla d'une longueur mortelle; elle s'efforça de maîtriser son impatience et ses inquiétudes en chantant tout ce qu'elle avait composé en prison sur les douleurs et les ennuis de la solitude, et elle termina cette répétition à l'entrée de la nuit, par le sublime air d'Almirena dans le Rinaldo de Haendel:

Lascia ch'io pianga
La dura sorte
E ch'ia sospiri
La libertà

A peine l'eutelle fini, qu'un violon d'une vibration extraordinaire répéta au dehors la phrase admirable qu'elle venait de dire, avec une expression aussi douloureuse et aussi profonde que la sienne propre. Consuelo courut à la fenêtre, mais elle ne vit personne, et la phrase se perdit dans l'éloignement. Il lui sembla que cet instrument et ce jeu remarquables ne pouvaient appartenir qu'au comte Albert; mais elle chassa bientôt cette pensée, comme rentrant dans la série d'illusions pénibles et dangereuses dont elle avait déjà tant souffert. Elle n'avait jamais entendu Albert jouer aucune phrase de musique moderne, et il n'y avait qu'un esprit frappé qui put s'obstiner à évoquer un spectre chaque fois que le son d'un violon se faisait entendre. Néanmoins cette émotion troubla Consuelo, et la jeta dans de si tristes et si profondes rêveries, qu'elle s'aperçut seulement à neuf heures du soir que Matteus ne lui avait apporté ni à dîner ni à souper, et qu'elle était à jeun depuis le matin. Cette circonstance lui fit craindre que, comme le chevalier, Matteus n'eût été victime de l'intérêt qu'il lui avait marqué. Sans doute, les murs avaient des yeux et des oreilles. Matteus lui avait peutêtre trop parlé; il avait murmuré un peu contre la disparition de Liverani: c'en était assez probablement pour qu'on lui fit partager son sort.

Ces nouvelles anxiétés empêchèrent Consuelo de sentir le malaise de la faim. Cependant la soirée s'avançait, Matteus ne paraissait pas; elle se risqua à sonner. Personne ne vint. Elle éprouvait une grande faiblesse, et surtout une grande consternation. Appuyée sur le bord de sa croisée, la tête dans ses mains, elle repassait dans son cerveau, déjà un peu troublé par les souffrances de l'inanition, les incidents bizarres de sa vie, et se demandait si c'était le souvenir de la réalité ou celui d'un long rêve, lorsqu'une main froide comme le marbre s'appuya sur sa tête, et une voix basse et profonde prononça ces mots:

«Ta demande est accueillie, suismoi.»

Consuelo, qui n'avait pas encore songé à éclairer son appartement, mais qui avait, jusquelà, nettement distingué les objets dans le crépuscule, essaya de regarder celui qui lui parlait ainsi. Elle se trouvait tout à coup dans d'aussi épaisses ténèbres que si l'atmosphère était devenue compacte, et le ciel étoilé une voûte de plomb. Elle porta la main à son front privé d'air, et reconnut un capuchon à la fois léger et impénétrable comme celui que Cagliostro lui avait jeté une fois sur la tête sans qu'elle le sentit. Entraînée par une main invisible, elle descendit l'escalier du pavillon; mais elle ne tarda pas à s'apercevoir qu'il avait plus de degrés qu'elle ne lui en connaissait, et qu'il s'enfonçait dans des caves où elle marcha pendant près d'une demiheure. La fatigue, la faim, l'émotion et une chaleur accablante ralentissait de plus en plus ses pas, et, à chaque instant prête à défaillir, elle fut tentée de demander grâce. Mais une certaine fierté, qui lui faisait craindre de paraître reculer devant sa résolution, l'engagea à lutter courageusement. Elle arriva enfin au terme du voyage, et on la fit asseoir. Elle entendit en ce moment un timbre lugubre, comme celui du tamtam, frapper minuit lentement, et au douzième coup le capuchon fut enlevé de son front baigné de sueur.

Elle fut éblouie d'abord de l'éclat des lumières qui, toutes rassemblées sur un même point visàvis d'elle, dessinaient une large croix flamboyante sur la muraille, lorsque ses yeux purent supporter cette transition, elle vit qu'elle était dans une vaste salle d'un style gothique, dont la voûte, divisée en arceaux surbaissés, ressemblait à celle d'un cachot profond ou d'une chapelle souterraine. Au fond de cette pièce, dont l'aspect et le luminaire étaient vraiment sinistres, elle distingua sept personnages enveloppés de manteaux rouges, et la face couverte de masques d'un blanc livide, qui les faisaient ressembler à des cadavres. Ils étaient assis derrière une longue table de marbre noir. En avant de la table et sur un gradin plus bas, un huitième spectre, vêtu de noir et masqué de blanc, était également assis. De chaque côté des murailles latérales, une vingtaine d'hommes à manteaux et à masques noirs étaient rangés dans un profond silence.

Consuelo se retourna, et vit derrière elle d'autres fantômes noirs. A chaque porte, il y en avait deux debout, une large épée brillante à la main.

En d'autres circonstances, Consuelo se fût peutêtre dit que ce cérémonial lugubre n'était qu'un jeu, une de ces épreuves dont elle avait entendu parler à Berlin à propos des loges de francsmaçons. Mais outre que les francsmaçons ne s'érigeaient pas en tribunal, et ne s'attribuaient pas le droit de faire comparaître dans leurs assemblées secrètes des personnes non initiées, elle était disposée, par tout ce qui avait précédé cette scène, à la trouver sérieuse, effrayante même. Elle s'aperçut qu'elle tremblait visiblement, et sans les cinq minutes d'un profond silence où se tint l'assemblée, elle n'eût pas eu la force de se remettre et de se préparer à répondre.

Enfin, le huitième juge se leva et fit signe aux deux introducteurs, qui se tenaient, l'épée à la main, à la droite et à la gauche de Consuelo, de l'amener jusqu'au pied du tribunal, où elle resta debout, dans une attitude de calme et de courage un peu affectés.

«Qui êtesvous, et que demandezvous?» dit l'homme noir sans se lever.

Consuelo demeura quelques instants interdite; enfin elle prit courage et répondit:

«Je suis Consuelo, cantatrice de profession, dite la Zingarella et la Porporina.

N'astu point d'autre nom?» reprit l'interrogateur.

Consuelo hésita, puis elle dit:

«J'en pourrais revendiquer un autre; mais je me suis engagée sur l'honneur à ne jamais le faire.

Espèrestu donc cacher quelque chose à ce tribunal? Te croistu devant des juges vulgaires, élus pour juger de vulgaires intérêts, au nom d'une loi grossière et aveugle? Que vienstu faire ici, si tu prétends nous abuser par de vaines défaites? Nommetoi, faistoi connaître pour ce que tu es, ou retiretoi.

Vous qui savez qui je suis, vous savez sans doute également que mon silence est un devoir, et vous m'encouragerez à y persister.»

Un des manteaux rouges se pencha, fit signe à un des manteaux noirs, et en un instant tous les manteaux noirs sortirent de la salle, à l'exception de l'examinateur, qui resta à sa place et reprit la parole en ces termes:

«Comtesse de Rudolstadt, maintenant que l'examen devient secret, et que vous êtes seule en présence de vos juges, nierezvous que vous soyez légitimement mariée au comte Albert Podiebrad, dit de Rudolstadt par les prétentions de sa famille?

Avant de répondre à cette question, dit Consuelo avec fermeté, je demande à savoir quelle autorité dispose ici de moi, et quelle loi m'oblige à la reconnaître.

Quelle loi prétendraistu donc invoquer? Estce une loi divine ou humaine? La loi sociale te place encore sous la dépendance absolue de Frédéric II, roi de Prusse, électeur de Brandebourg, sur les terres duquel nous t'avons enlevée pour te soustraire à une captivité indéfinie, et à des dangers plus affreux encore, tu le sais!

Je sais, dit Consuelo en fléchissant le genou, qu'une reconnaissance éternelle me lie à vous. Je ne prétends donc invoquer que la loi divine, et je vous prie de me définir celle de la reconnaissance. Me commandetelle de vous bénir et de me dévouer à vous du fond de mon cœur? je l'accepte: mais si elle me prescrit de manquer, pour vous complaire, aux arrêts de ma conscience, ne doisje pas la récuser? Jugez vousmêmes.

Puissestu penser et agir dans le monde comme tu parles! Mais les circonstances qui te placent ici dans notre dépendance échappent à tous les raisonnements ordinaires. Nous sommes audessus de toute loi humaine, tu as pu le reconnaître à notre puissance. Nous sommes également en dehors de toute considération humaine: préjugés de fortune, de rang et de naissance, scrupules et délicatesse de position, crainte de l'opinion, respect même des engagements contractés avec les idées et les personnes du monde, rien de tout cela n'a de sens pour nous, ni de valeur à nos yeux, alors que réunis loin de l'œil des hommes, et armés du glaive de la justice de Dieu, nous pesons dans le creux de notre main les hochets de votre frivole et craintive existence. Expliquetoi donc sans détour devant nous qui sommes les appuis, la famille et la loi vivante de tout être libre. Nous ne t'écouterons pas, que nous ne sachions en quelle qualité tu comparais ici. Estce la Zingarella Consuelo, estce la comtesse de Rudolstadt qui nous invoque?

La comtesse de Rudolstadt, ayant renoncé à tous ses droits dans la société, n'en a aucun à réclamer ici. La Zingarella Consuelo...

Arrête, et pèse les paroles que tu viens de dire. Si ton époux était vivant, auraistu le droit de lui retirer ta foi, d'abjurer son nom, de repousser sa fortune, en un mot, de redevenir la Zingarella Consuelo, pour ménager l'orgueil puéril et insensé de sa famille et de sa caste?

Non sans doute.

Et pensestu donc que la mort ait rompu à jamais vos liens? ne doistu à la mémoire d'Albert ni respect, ni amour, ni fidélité?»

Consuelo rougit et se troubla, puis elle redevint pâle. L'idée qu'on allait, comme Cagliostro et le comte de SaintGermain, lui parler de la résurrection possible d'Albert, et même lui en montrer le fantôme, la remplit d'une telle frayeur, qu'elle ne put répondre.

«Épouse d'Albert Podiebrad, reprit l'examinateur, ton silence t'accuse. Albert est mort tout entier pour toi, et ton mariage n'est à tes yeux qu'un incident de ta vie aventureuse, sans aucune conséquence, sans aucune obligation pour l'avenir. Zingara, tu peux te retirer. Nous ne nous sommes intéressés à ton sort qu'en raison de tes liens avec le plus excellent des hommes. Tu n'étais pas digne de notre amour, car tu ne fus pas digne du sien. Nous ne regrettons pas la liberté que nous t'avons rendue; toute réparation des maux qu'inflige le despotisme est un devoir et une jouissance pour nous. Mais notre protection n'ira pas plus loin. Dès demain tu quitteras cet asile que nous t'avions donné avec l'espérance que tu en sortirais purifiée et sanctifiée: tu retourneras au monde: à la chimère de la gloire, à l'enivrement des folles passions. Que Dieu ait pitié de toi! nous t'abandonnons sans retour.»

Consuelo resta quelques moments atterrée sous cet arrêt. Quelques jours plus tôt, elle ne l'eût pas accepté sans appel; mais le mot de folles passions qui venait d'être prononcé lui remettait sous les yeux, à cette heure, l'amour insensé qu'elle avait conçu pour l'inconnu, et qu'elle avait accueilli dans son cœur presque sans examen et sans combat.

Elle était humiliée à ses propres yeux, et la sentence des Invisibles lui paraissait méritée jusqu'à un certain point. L'austérité de leur langage lui inspirait un respect mêlé de terreur, et elle ne songeait plus à se révolter contre le droit qu'ils s'attribuaient de la juger et de la condamner, comme un être relevant de leur autorité. Il est rare que, quelle que soit notre fierté naturelle, ou l'irréprochabilité de notre vie, nous ne subissions pas l'ascendant d'une parole grave qui nous accuse au dépourvu, et qu'au lieu de discuter avec elle, nous ne fassions pas un retour sur nousmêmes pour voir avant tout si nous ne méritons pas ce blâme. Consuelo ne se sentait pas à l'abri de tout reproche, et l'appareil déployé autour d'elle rendait sa position singulièrement pénible. Cependant, elle se rappela promptement qu'elle n'avait pas demandé à comparaître devant ce tribunal sans s'être préparée et résignée à sa rigueur. Elle y était venue, résolue à subir des admonestations, un châtiment quelconque, s'il le fallait, pourvu que le chevalier fût disculpé ou pardonné. Mettant donc de côté tout amourpropre, elle accepta les reproches sans amertume, et médita quelques instants sa réponse.

«Il est possible que je mérite cette dure malédiction, ditelle enfin; je suis loin d'être contente de moi. Mais en venant ici je me suis fait des Invisibles une idée que je veux vous dire. Le peu que j'ai appris de vous par la rumeur populaire, et le bienfait de la liberté que je tiens de vous, m'ont fait penser que vous étiez des hommes aussi parfaits dans la vertu que puissants dans la société. Si vous êtes tels que je me plais à le croire, d'où vient que vous me repoussez si brusquement, sans m'avoir indiqué la route à suivre pour sortir de l'erreur et pour devenir digne de votre protection? Je sais qu'à cause d'Albert de Rudolstadt, le plus excellent des hommes, comme vous l'avez bien nommé, sa veuve méritait quelque intérêt; mais ne fusséje pas la femme d'Albert, ou bien eusséje été en tout temps indigne de l'être, la Zingara Consuelo, la fille sans nom, sans famille et sans patrie, n'atelle pas encore des droits à votre sollicitude paternelle? Supposez que je sois une grande pécheresse; n'êtesvous pas comme le royaume des cieux où la conversion d'un maudit apporte plus de joie que la persévérance de cent élus? Enfin, si la loi qui vous rassemble et qui vous inspire est une loi divine, vous y manquez en me repoussant. Vous aviez entrepris, ditesvous, de me purifier et de me sanctifier. Essayez d'élever mon âme à la hauteur de la vôtre. Je suis ignorante, et non rebelle. Prouvezmoi que vous êtes saints, en vous montrant patients et miséricordieux, et je vous accepterai pour mes maîtres et mes modèles.»

Il y eut un moment de silence. L'examinateur se retourna vers les juges, et ils parurent se consulter. Enfin l'un d'eux prit la parole et dit:

«Consuelo, tu t'es présentée ici avec orgueil; pourquoi ne veuxtu pas te retirer de même? Nous avions le droit de te blâmer, puisque tu venais nous interroger. Nous n'avons pas celui d'enchaîner ta conscience et de nous emparer de ta vie, si tu ne nous abandonnes volontairement et librement l'une et l'autre. Pouvonsnous te demander ce sacrifice? Tu ne nous connais pas. Ce tribunal dont tu invoques la sainteté est peutêtre le plus pervers ou tout au moins le plus audacieux qui ait jamais agi dans les ténèbres contre les principes qui régissent le monde: qu'en saistu? Et si nous avions à te révéler la science profonde d'une vertu toute nouvelle, auraistu le courage de te vouer à une étude si longue et si ardue, avant d'en savoir le but? Nousmêmes pourrionsnous prendre confiance dans la foi persévérante d'un néophyte aussi mal préparé que toi? Nous aurions peutêtre des secrets importants à te confier, et nous n'en chercherions la garantie que dans tes instincts généreux; nous les connaissons assez pour croire à ta discrétion: mais ce n'est pas de confidents discrets que nous avons besoin; nous n'en manquons pas. Nous avons besoin, pour faire avancer la loi de Dieu, de disciples fervents, libres de tous préjugés, de tout égoïsme, de toutes passions frivoles, de toutes habitudes mondaines. Descends en toimême; peuxtu nous faire tous ces sacrifices? Peuxtu modeler tes actions et calquer ta vie sur les instincts que tu ressens, et sur les principes que nous te donnerions pour les développer? Femme, artiste, enfant, oseraistu répondre que tu peux t'associer à des hommes graves pour travailler à l'œuvre des siècles?

Tout ce que vous dites est bien sérieux, en effet, répondit Consuelo, et je le comprends à peine. Voulezvous me donner le temps d'y réfléchir? Ne me chassez pas de votre sein sans avoir interrogé mon cœur. J'ignore s'il est digne des lumières que vous y pouvez répandre. Mais quelle âme sincère est indigne de la vérité? En quoi puisje vous être utile? Je m'effraie de mon impuissance. Femme et artiste, c'estàdire enfant! mais pour me protéger comme vous l'avez fait, il faut que vous ayez pressenti en moi quelque chose... Et moi, quelque chose me dit que je ne dois pas vous quitter sans avoir essayé de vous prouver ma reconnaissance. Ne me bannissez donc pas: essayez de m'instruire.

Nous t'accordons encore huit jours pour faire tes réflexions, reprit le juge en robe rouge qui avait déjà parlé; mais tu dois auparavant t'engager sur l'honneur à ne pas faire la moindre tentative pour savoir où tu es, et quelles sont les personnes que tu vois ici. Tu dois t'engager également à ne pas franchir l'enceinte réservée à tes promenades, quand même tu verrais les portes ouvertes et les spectres de tes plus chers amis te faire signe. Tu dois n'adresser aucune question aux gens qui te servent, ni à quiconque pourrait pénétrer clandestinement chez toi.

Cela n'arrivera jamais, répondit vivement Consuelo; je m'engage, si vous le voulez, à ne jamais recevoir personne sans votre autorisation, et en revanche je vous demande humblement la grâce...

Tu n'as point de grâce à nous demander, point de conditions à proposer. Tous les besoins de ton âme et de ton corps ont été prévus pour le temps que tu avais à passer ici. Si tu regrettes quelque parent, quelque ami, quelque serviteur, tu es libre de partir. La solitude ou une société réglée comme nous l'entendons sera ton partage chez nous.

Je ne demande rien pour moimême; mais on m'a dit qu'un de vos amis, un de vos disciples ou de vos serviteurs (car j'ignore le rang qu'il occupe parmi vous) subissait à cause de moi un châtiment sévère. Me voici prête à m'accuser des torts qu'on lui impute, et c'est pour cela que j'ai demandé à comparaître devant vous.

Estce une confession sincère et détaillée que tu offres de nous faire?

S'il le faut pour qu'il soit absous... quoique ce soit, pour une femme, une étrange torture morale que de se confesser hautement devant huit hommes...

Épargnetoi cette humiliation. Nous n'aurions aucune garantie de ta sincérité, et d'ailleurs nous n'avions encore tout à l'heure aucun droit sur toi. Ce que tu as dit, ce que tu as pensé il y a une heure, rentre pour nous dans ton passé. Mais songe qu'à partir de cet instant nous sommes les maîtres de sonder les plus secrets replis de ton âme. C'est à toi de garder cette âme assez pure pour être toujours prête à nous la dévoiler sans souffrante et sans honte.

Votre générosité est délicate et paternelle. Mais il ne s'agit pas de moi seule ici. Un autre expie mes torts. Ne doisje pas le justifier?

Ce soin ne te regarde pas. S'il est un coupable parmi nous, il se disculpera luimême, non par de vaines défaites et de téméraires allégations, mais par des actes de courage, de dévouement et de vertu. Si son âme a chancelé, nous la relèverons et nous l'aiderons à se vaincre. Tu parles de châtiment rigoureux; nous n'infligeons que des châtiments moraux. Cet homme, quel qu'il soit, est notre égal, notre frère; il n'y a chez nous ni maîtres, ni serviteurs, ni sujets, ni princes: de faux rapports t'ont sans doute abusée. Va en paix et ne pèche point.»

À ce dernier mot, l'examinateur agita une sonnette; les deux hommes noirs masqués et armés rentrèrent, et, replaçant le capuchon sur la tête de Consuelo, ils la reconduisirent au pavillon par les mêmes détours souterrains qu'elle avait suivis pour s'en éloigner.

La Porporina n'ayant plus sujet, d'après le langage bienveillant et paternel des Invisibles, d'être sérieusement inquiète du chevalier, et jugeant que Matteus n'avait pas vu trèsclair dans cette affaire, éprouva en quittant ce mystérieux conciliabule, un grand soulagement d'esprit. Tout ce qu'on venait de lui dire flottait dans son imagination comme des rayons derrière un nuage; et l'inquiétude ni l'effort de la volonté ne la soutenant plus, elle éprouva bientôt en marchant une fatigue insurmontable. La faim se fit sentir assez cruellement, le capuchon gommé l'étouffait. Elle s'arrêta plusieurs fois, fut forcée d'accepter les bras de ses guides pour continuer sa route, et, en arrivant dans sa chambre, elle tomba en faiblesse. Peu d'instants après, elle se sentit ranimée par un flacon qui lui fut présenté, et par l'air bienfaisant qui circulait dans l'appartement. Alors elle remarqua que les hommes qui l'avaient ramenée sortaient à la hâte, tandis que Matteus s'empressait de servir un souper des plus appétissants, et que le petit docteur masqué, qui l'avait mise en léthargie pour l'amener à cette résidence, lui tâtait le pouls et lui prodiguait ses soins. Elle le reconnaissait facilement à sa perruque, et à sa voix qu'elle avait entendue quelque part, sans pouvoir dire en quelle circonstance.

«Cher docteur, lui ditelle en souriant, je crois que la meilleure prescription sera de me faire souper bien vite. Je n'ai pas d'autre mal que la faim; mais je vous supplie de m'épargner cette fois le café que vous faites si bien. Je crois que je ne serais plus de force à le supporter.

Le café préparé par moi, répondit le docteur, est un calmant recommandable. Mais soyez tranquille, madame la comtesse: mon ordonnance ne porte rien de semblable. Aujourd'hui voulezvous vous fier à moi et me permettre de souper avec vous? La volonté de Son Altesse est que je ne vous quitte pas avant que vous soyez complètement rétablie, et je pense que, dans une demiheure, la réfection aura chassé cette faiblesse entièrement.

Si tel est le bon plaisir de Son Altesse et le vôtre, monsieur le docteur, ce sera le mien aussi d'avoir l'honneur de votre compagnie pour souper, dit Consuelo en laissant rouler son fauteuil par Matteus auprès de la table.

Ma compagnie ne vous sera pas inutile, reprit le docteur, en commençant à démolir un superbe pâté de faisans, et à découper ces volatiles avec la dextérité d'un praticien consommé. Sans moi, vous vous laisseriez aller à la voracité insurmontable qu'on éprouve après un long jeune, et vous pourriez vous en mal trouver. Moi qui ne crains pas un pareil inconvénient, j'aurai soin de vous compter les morceaux, tout en les mettant doubles sur mon assiette.»

La voix de ce docteur gastronome occupait Consuelo malgré elle. Mais sa surprise fut grande lorsque, détachant lestement son masque, il le posa sur la table en disant:

«Au diable cette puérilité qui m'empêche de respirer et de sentir le goût de ce que je mange!»

Consuelo tressaillit en reconnaissant, dans ce viveur de médecin, celui qu'elle avait vu au lit de mort de son mari, le docteur Supperville, premier médecin de la margrave de Bareith. Elle l'avait aperçu de loin à Berlin depuis, sans avoir le courage de le regarder ni de lui parler. En ce moment le contraste de son appétit glouton avec l'émotion et l'accablement qu'elle éprouvait, lui rappelèrent la sécheresse de ses idées et de ses discours au milieu de la consternation et de la douleur de la famille de Rudolstadt, et elle eut peine à lui cacher l'impression désagréable qu'il lui causait. Mais le Supperville, absorbé par le fumet du faisan, paraissait ne faire aucune attention à son trouble.

Matteus vint compléter le ridicule de la situation où se plaçait le docteur, par une exclamation naïve. Le circonspect serviteur le servait depuis cinq minutes sans s'apercevoir qu'il avait le visage découvert, et ce ne fut qu'au moment de prendre le masque pour le couvercle du pâté, et de le placer méthodiquement sur la brèche ouverte, qu'il s'écria avec terreur:

«Miséricorde, monsieur le docteur, vous avez laissé choir votre visage sur la table!

Au diable ce visage d'étoffe! te disje. Je ne pourrai jamais m'habituer à manger avec cela. Metsle dans un coin, tu me le rendras quand je sortirai.

Comme il vous plaira, monsieur le docteur, dit Matteus d'un ton consterné. Je m'en lave les mains. Mais Votre Seigneurie n'ignore pas que je suis forcé tous les soirs de rendre compte de point en point de tout ce qui s'est fait et dit ici. J'aurai beau dire que votre visage s'est détaché par mégarde, je ne pourrai pas nier que Madame n'ait vu ce qui était dessous.

Fort bien, mon brave. Tu feras ton rapport, dit le docteur sans se déconcerter.

Et vous remarquerez, monsieur Matteus, observa Consuelo, que je n'ai aucunement provoqué M. le docteur à cette désobéissance, et que ce n'est pas ma faute si je l'ai reconnu.

Soyez donc tranquille, madame la comtesse, reprit Supperville la bouche pleine. Le prince n'est pas si diable qu'il est noir, et je ne le crains guère. Je lui dirai que, puisqu'il m'avait autorisé à souper avec vous, il m'avait autorisé par cela même à me délivrer de tout obstacle à la mastication et à la déglutition. D'ailleurs j'avais l'honneur d'être trop bien connu de vous pour que le son de ma voix ne m'eût pas déjà trahi. C'est donc une vaine formalité dont je me débarrasse, et dont le prince fera bon marché tout le premier.

C'est égal, monsieur le docteur, dit Matteus scandalisé, j'aime mieux que vous ayez fait cette plaisanterielà que moi.»

Le docteur haussa les épaules, railla le timoré Matteus, mangea énormément et but à proportion: après quoi, Matteus s'étant retiré pour changer le service, il rapprocha un peu sa chaise, baissa la voix, et parla ainsi à Consuelo:

«Chère Signora, je ne suis pas si gourmand que j'en ai l'air (Supperville, étant convenablement repu, parlait ainsi fort à son aise), et mon but, en venant souper avec vous, était de vous instruire de choses importantes qui vous intéressent trèsparticulièrement.

De quelle part et en quel nom voulezvous me révéler ces choses, monsieur? dit Consuelo, qui se rappelait la promesse qu'elle venait de faire aux Invisibles.

C'est de mon plein droit et de mon plein gré, répondit Supperville. Ne vous inquiétez donc pas. Je ne suis pas un mouchard, moi, et je parle à cœur ouvert, peu soucieux qu'on répète mes paroles.»

Consuelo pensa un instant que son devoir était de fermer absolument la bouche au docteur, afin de ne pas se rendre complice de sa trahison: mais elle pensa aussi qu'un homme dévoué aux Invisibles au point de se charger d'empoisonner à demi les gens pour les amener, à leur insu, dans ce château, ne pouvait agir comme il le faisait sans y être secrètement autorisé. C'est un piège qu'on me tend, pensatelle. C'est une série d'épreuves qui commence. Voyons, et observons l'attaque.

«Il faut donc, Madame, continua le docteur, que je vous dise où et chez qui vous êtes.»

«Nous y voilà!» se dit Consuelo; et elle se hâta de répondre: «Grand merci, monsieur le docteur, je ne vous l'ai pas demandé, et je désire ne pas le savoir.

Ta ta ta! reprit Supperville, vous voilà tombée dans la voie romanesque où il plaît au prince d'entraîner tous ses amis. Mais n'allez point donner sérieusement dans ces sornetteslà: le moins qui pourrait vous en arriver serait de devenir folle et de grossir son cortège d'aliénés et de visionnaires. Je n'ai pas l'intention, pour ma part, de manquer à la parole que je lui ai donnée de ne vous dire ni son nom ni celui du lieu où vous vous trouvez. C'est là d'ailleurs ce qui doit le moins vous préoccuper; car ce ne serait qu'une satisfaction pour votre curiosité, et ce n'est pas cette maladie que je veux traiter chez vous; c'est l'excès de confiance, au contraire. Vous pouvez donc apprendre, sans lui désobéir et sans risquer de lui déplaire (je suis intéressé à ne pas vous trahir), que vous êtes ici chez le meilleur et le plus absurde des vieillards. Un homme d'esprit, un philosophe, une âme courageuse et tendre jusqu'à l'héroïsme, jusqu'à la démence. Un rêveur qui traite l'idéal comme une réalité, et la vie comme un roman. Un savant qui, à force de lire les écrits des sages et de chercher la quintessence des idées, est arrivé, comme don Quichotte après la lecture de tous ses livres de chevalerie, à prendre les auberges pour des châteaux, les galériens pour d'innocentes victimes, et les moulins à vent pour des monstres. Enfin un saint, si on ne considère que la beauté de ses intentions, un fou si on en pèse le résultat. Il a imaginé, entre autres choses, un réseau de conspiration permanente et universelle pour prendre à la nasse et paralyser l'action des méchants dans le monde: 1° combattre et contrarier la tyrannie des gouvernants; 2° réformer l'immoralité ou la barbarie des lois qui régissent les sociétés; 3° verser dans le cœur de tous les hommes de courage et de dévouement l'enthousiasme de sa propagande et le zèle de sa doctrine. Rien que ça? hein? et il croît y parvenir! Encore s'il était secondé par quelques hommes sincères et raisonnables, le peu de bien qu'il réussit à faire pourrait porter ses fruits! Mais, par malheur, il est environné d'une clique d'intrigants et d'imposteurs audacieux qui feignent de partager sa foi et de servir ses projets, et qui se servent de son crédit pour accaparer de bonnes places dans toutes les cours de l'Europe, non sans se mettre au bout des doigts la meilleure partie de l'argent destiné à ses bonnes œuvres. Voilà l'homme et son entourage. C'est à vous de juger dans quelles mains vous êtes, et si cette protection généreuse qui vous a heureusement tirée des grilles du petit Fritz ne risque pas de vous faire tomber pis, à force de vouloir vous élever dans les nues. Vous voilà avertie. Méfiezvous des belles promesses, des beaux discours, des scènes de tragédie, des tours de passepasse des Cagliostro, des SaintGermain et consorts.

Ces deux derniers personnages sontils donc actuellement ici? demanda Consuelo un peu troublée, et flottante entre le danger d'être jouée par le docteur et la vraisemblance de ses assertions.

Je n'en sais rien, réponditil. Tout s'y passe mystérieusement. Il y a deux châteaux: un visible et palpable, où l'on voit arriver des gens du monde qui ne se doutent de rien, où l'on donne des fêtes, où l'on déploie l'appareil d'une existence princière, frivole et inoffensive. Ce châteaulà couvre et cache l'autre, qui est un petit monde souterrain assez habilement masqué. Dans le château invisible s'élucubrent tous les songes creux de Son Altesse. Novateurs, réformateurs, inventeurs, sorciers, prophètes, alchimistes, tous architectes d'une société nouvelle toujours prête, selon leur dire, à avaler l'ancienne demain ou aprèsdemain; voilà les hôtes mystérieux que l'on reçoit, que l'on héberge, et que l'on consulte sans que personne le sache à la surface du sol, ou du moins sans qu'aucun profane puisse expliquer le bruit des caves autrement que par la présence d'esprits follets et de revenants tracassiers dans les œuvres basses du bâtiment. Maintenant concluez: les susdits charlatans peuvent être à cent lieues d'ici, car ils sont grands voyageurs de leur nature, ou à cent pas de nous, dans de bonnes chambres à portes secrètes et à double fond. On dit que ce vieux château a servi autrefois de rendezvous aux francsjuges, et que depuis, à cause de certaines traditions héréditaires, les ancêtres de notre prince se sont toujours divertis à y tramer des complots terribles, qui n'ont jamais, que je sache, abouti à rien. C'est une vieille mode du pays, et les plus illustres cerveaux ne sont pas ceux qui y donnent le moins. Moi, je ne suis pas initié aux merveilles du château invisible. Je passe ici quelques jours de temps en temps, quand ma souveraine, la princesse Sophie de Prusse, margrave de Bareith, me donne la permission d'aller prendre l'air hors de ses États. Or, comme je m'ennuie prodigieusement à la délicieuse cour de Bareith, qu'au fond j'ai de l'attachement pour le prince dont nous parlons, et que je ne suis pas fâché de jouer parfois un petit tour au grand Frédéric que je déteste, je rends au susdit prince quelques services désintéressés, et dont je me divertis tout le premier. Comme je ne reçois d'ordres que de lui, ces services sont toujours fort innocents. Celui d'aider à vous tirer de Spandaw, et de vous amener ici comme une pauvre colombe endormie, n'avait rien qui me répugnât. Je savais que vous y seriez bien traitée, et je pensais que vous auriez occasion de vous y amuser. Mais si, au contraire, on vous y tourmente, si les conseillers charlatans de Son Altesse prétendent s'y emparer de vous, et vous faire servir à leurs intrigues dans le monde...

Je ne crains rien de semblable, répondit Consuelo de plus en plus frappée des explications du docteur. Je saurai me préserver de leurs suggestions, si elles blessent ma droiture et révoltent ma conscience.

En êtesvous bien sûre, madame la comtesse? reprit Supperville. Tenez! ne vous y fiez pas, et ne vous vantez de rien. Des gens fort raisonnables et fort honnêtes sont sortis d'ici timbrés et tout prêts à mal faire. Tous les moyens sont bons aux intrigants qui exploitent le prince, et ce cher prince est si facile à éblouir, que luimême a mis la main à la perdition de quelques bonnes âmes en croyant les sauver. Sachez que ces intrigants sont fort habiles, qu'ils ont des secrets pour effrayer, pour convaincre, pour émouvoir, pour enivrer les sens et frapper l'imagination. D'abord une persistance de tracasseries et une foule de petits moyens incompréhensibles: et puis des recettes, des systèmes, des prestiges à leur service. Ils vous enverront des spectres, ils vous feront jeûner pour vous ôter la lucidité de l'esprit, ils vous assiégeront de fantasmagories riantes ou affreuses. Enfin ils vous rendront superstitieuse, folle peutêtre, comme j'ai eu l'honneur de vous le dire, et alors...

Et alors? que peuventils attendre de moi? que suisje dans le monde pour qu'ils aient besoin de m'attirer dans leurs filets?

Ouida! La comtesse de Rudolstadt ne s'en doute pas?

Nullement, monsieur le docteur.

Vous devez vous rappeler pourtant que M. Cagliostro vous a fait voir feu le comte Albert, votre mari, vivant et agissant?

Comment savezvous cela, si vous n'êtes pas initié aux mystères du monde souterrain dont vous parlez?

Vous l'avez raconté à la princesse Amélie de Prusse, qui est un peu bavarde, comme toutes les personnes curieuses. Ignorezvous, d'ailleurs, qu'elle est fort liée avec le spectre du comte de Rudolstadt?

Un certain Trismégiste, à ce qu'on m'a dit!

Précisément. J'ai vu ce Trismégiste, et il est de fait qu'il ressemble au comte d'une manière surprenante au premier abord. On peut le faire ressembler davantage en le coiffant et en l'habillant comme le comte avait coutume d'être, en lui rendant le visage blême, et en lui faisant étudier l'allure et les manières du défunt. Comprenezvous maintenant?

Moins que jamais. Quel intérêt auraiton à faire passer cet homme pour le comte Albert?

Que vous êtes simple et loyale! Le comte Albert est mort, laissant, une grande fortune, qui va tomber en quenouille, des mains de la chanoinesse Wenceslawa à celles de la petite baronne Amélie, cousine du comte Albert, à moins que vous ne fassiez valoir vos droits à un douaire ou à une jouissance viagère. On tâchera d'abord de vous y décider...

Il est vrai, s'écria Consuelo; vous m'éclairez sur le sens de certaines paroles!

Ce n'est rien encore: cette jouissance viagère, trèscontestable, du moins en partie, ne satisferait pas l'appétit des chevaliers d'industrie qui veulent vous accaparer. Vous n'avez pas d'enfant; il vous faut un mari. Eh bien, le comte Albert n'est pas mort: il était en léthargie, on l'a enterré vivant; le diable l'a tiré de là; M. de Cagliostro lui a donné une potion; M. de SaintGermain l'a emmené promener. Bref, au bout d'un ou deux ans il reparaît, raconte ses aventures, se jette à vos pieds, consomme son mariage avec vous, part pour le château des Géants, se fait reconnaître de la vieille chanoinesse et de quelques vieux serviteurs qui n'y voient pas trèsclair, provoque une enquête, s'il y a contestation, et paie les témoins. Il fait même le voyage de Vienne avec son épouse fidèle, pour réclamer ses droits auprès de l'impératrice. Un peu de scandale ne nuit pas à ces sortes d affaires. Toutes les grandes dames s'intéressent à un bel homme, victime d'une funeste aventure et de l'ignorance d'un sot médecin. Le prince de Kaunitz, qui ne hait pas les cantatrices, vous protège; votre cause triomphe; vous retournez victorieuse à Riesenburg, vous mettez à la porte votre cousine Amélie; vous êtes riche et puissante; vous vous associez au prince d'ici et à ses charlatans pour réformer la société et changer la face du monde. Tout cela est fort agréable, et ne coûte que la peine de se tromper un peu, en prenant à la place d'un illustre époux un bel aventurier, homme d'esprit, et grand diseur de bonne aventure pardessus le marché. Y êtesvous, maintenant? Faites vos réflexions. Il était de mon devoir comme médecin, comme ami de la famille de Rudolstadt, et comme homme d'honneur, de vous dire tout cela. On avait compté sur moi pour constater, dans l'occasion, l'identité du Trismégiste avec le comte Albert. Mais moi qui l'ai vu mourir, non avec les yeux de l'imagination, mais avec ceux de la science, moi qui ai fort bien remarqué certaines différences entre ces deux hommes, et qui sais qu'à Berlin on connaît l'aventurier de longue date, je ne me prêterai point à une pareille imposture. Grand merci! Je sais que vous ne vous y prêteriez pas davantage, mais qu'on mettra tout en œuvre pour vous persuader que le comte Albert a grandi de deux pouces et pris de la fraîcheur et de la santé dans son cercueil. J'entends ce Matteus qui revient; c'est une bonne bête, qui ne se doute de rien. Moi, je me retire, j'ai dit. Je quitte ce château dans une heure, n'ayant que faire ici davantage.»

Après avoir parlé ainsi avec une remarquable volubilité, le docteur remit son masque, salua profondément Consuelo, et se retira, la laissant achever son souper toute seule si bon lui semblait: elle n'était guère disposée à le faire. Bouleversée et atterrée de tout ce qu'elle venait d'entendre, elle se retira dans sa chambre, et n'y trouva un peu de repos qu'après avoir souffert longtemps les plus douloureuses perplexités et les plus vagues angoisses du doute et de l'inquiétude.

Le lendemain Consuelo se sentit brisée au moral et au physique. Les cyniques révélations de Supperville, succédant brusquement aux paternels encouragements des Invisibles, lui faisaient l'effet d'une immersion d'eau glacée après une bienfaisante chaleur. Elle s'était élevée un instant vers le ciel, pour retomber aussitôt sur la terre. Elle en voulait presque au docteur de l'avoir désabusée; car déjà elle s'était plu, dans ses rêves, à revêtir d'une éclatante majesté ce tribunal auguste qui lui tendait les bras comme une famille d'adoption, comme un refuge contre les dangers du monde et les égarements de la jeunesse.

Le docteur semblait mériter pourtant de la gratitude, et Consuelo le reconnaissait sans pouvoir en éprouver pour lui; sa conduite n'était-elle pas d'un homme sincère, courageux et désintéressé? Mais Consuelo le trouvait trop sceptique, trop matérialiste, trop porté à mépriser les bonnes intentions et à railler les beaux caractères. Quoi qu'il lui eût dit de la crédulité imprudente et dangereuse du prince anonyme, elle se faisait encore une haute idée de ce noble vieillard, ardent pour le bien comme un jeune homme, et naïf comme un enfant dans sa foi à la perfectibilité humaine. Les discours qu'on lui avait tenus dans la salle souterraine lui revenaient à l'esprit, et lui paraissaient remplis d'autorité calme et d'austère sagesse. La charité et la bonté y perçaient sous les menaces et sous les réticences d'une sévérité affectée, prête à se démentir au moindre élan du cœur de Consuelo. Des fourbes, des cupides, des charlatans auraient-ils parlé et agi ainsi envers elle? Leur vaillante entreprise de réformer le monde, si ridicule aux yeux du frondeur Supperville, répondait au vœu éternel, aux romanesques espérances, à la foi enthousiaste qu'Albert avait inspirées à son épouse, et qu'elle avait retrouvées avec une bienveillante sympathie dans la tête malade, mais généreuse, de Gottlieb. Ce Supperville n'était-il pas haïssable de vouloir l'en dissuader, et de lui ôter sa foi en Dieu, en même temps que sa confiance dans les Invisibles?

Consuelo, bien plus portée à la poésie de l'âme qu'à la sèche appréciation des tristes réalités de la vie présente, se débattait sous les arrêts de Supperville et s'efforçait de les repousser. Ne s'était-il pas livré à des suppositions gratuites, lui qui avouait n'être pas initié au monde souterrain, et qui paraissait même ignorer le nom et l'existence du conseil des Invisibles? Que Trismégiste fût un chevalier d'industrie, cela était possible, quoique la princesse Amélie affirmât le contraire, et que l'amitié du comte Golowkin, le meilleur et le plus sage des grands que Consuelo eût rencontrés à Berlin, parlât en sa faveur. Que Cagliostro et SaintGermain fussent aussi des imposteurs, cela se pouvait encore supposer, bien qu'ils eussent pu, eux aussi, être trompés par une ressemblance extraordinaire. Mais en confondant ces trois aventuriers dans le même mépris, il n'en ressortait pas qu'ils fissent partie du conseil des Invisibles, ni que cette association d'hommes vertueux ne pût repousser leurs suggestions aussitôt que Consuelo aurait constaté ellemême que Trismégiste n'était pas Albert. Ne seraitil pas temps de leur retirer sa confiance après cette épreuve décisive, s'ils persistaient à vouloir la tromper si grossièrement? Jusquelà, Consuelo voulut tenter la destinée et connaître davantage ces Invisible à qui elle devait sa liberté, et dont les paternels reproches avaient été jusqu'à son cœur. Ce fut à ce dernier parti qu'elle s'arrêta, et en attendant l'issue de l'aventure, elle résolut de traiter tout ce que Supperville lui avait dit comme une épreuve qu'il avait été autorisé à lui faire subir, ou bien comme un besoin d'épancher sa bile contre des rivaux mieux vus et mieux traités que lui par le prince.

Une dernière hypothèse tourmentait Consuelo plus que toutes les autres. Étaitil absolument impossible qu'Albert fût vivant? Supperville n'avait pas observé les phénomènes qui avaient précédé, pendant deux ans, sa dernière maladie. Il avait même refusé d'y croire, s'obstinant à penser que les fréquentes absences du jeune comte dans le souterrain étaient consacrées à de galants rendezvous avec Consuelo. Elle seule, avec Zdenko, avait le secret de ses crises léthargiques. L'amourpropre du docteur ne pouvait lui permettre d'avouer qu'il avait pu s'abuser en constatant la mort. Maintenant que Consuelo connaissait l'existence et la puissance matérielle du conseil des Invisibles, elle osait se livrer à bien des conjectures sur la manière dont ils avaient pu arracher Albert aux horreurs d'une sépulture anticipée et le recueillir secrètement parmi eux pour des fins inconnues. Tout ce que Supperville lui avait révélé des mystères du château et des bizarreries du prince, aidait à confirmer cette supposition. La ressemblance d'un aventurier nommé Trismégiste, pouvait compliquer le merveilleux du fait, mais elle ne détruisait pas sa possibilité. Cette pensée s'empara si fort de la pauvre Consuelo, qu'elle tomba dans une profonde mélancolie. Albert vivant, elle n'hésiterait pas à le rejoindre dès qu'on le lui permettrait, et à se dévouer à lui éternellement. Mais plus que jamais elle sentait qu'elle devait souffrir d'un dévouement où l'amour n'entrerait pour rien. Le chevalier se présentait à son imagination comme une cause d'amers regrets, et à sa conscience comme une source de futurs remords. S'il fallait renoncer à lui, l'amour naissant suivait la marche ordinaire des inclinations contrariées, il devenait passion. Consuelo ne se demandait pas avec une hypocrite résignation pourquoi ce cher Albert voulait sortir de sa tombe où il était si bien; elle se disait qu'il était dans sa destinée de se sacrifier à cet homme, peutêtre même au delà du tombeau, et elle voulait accomplir cette destinée jusqu'au bout: mais elle souffrait étrangement, et pleurait l'inconnu, son plus involontaire, son plus ardent amour.

Elle fut tirée de ses méditations par un petit bruit et le frôlement d'une aile légère sur son épaule. Elle fit une exclamation de surprise et de joie en voyant un joli rougegorge voltiger dans sa chambre et s'approcher d'elle sans frayeur. Au bout de quelques instants de réserve, il consentit à prendre une mouche dans sa main.

«Estce toi, mon pauvre ami, mon fidèle compagnon? lui disait Consuelo avec des larmes de joie enfantine. Seraitil possible que tu m'eusses cherchée et retrouvée ici? Non, cela ne se peut. Jolie créature confiante, tu ressembles à mon ami et tu ne l'es pas. Tu appartiens à quelque jardinier, et tu t'es échappé de la serre où tu as passé les jours froids parmi des fleurs toujours belles. Viens à moi, consolateur du prisonnier; puisque l'instinct de ta race te pousse vers les solitaires et les captifs, je veux reporter sur toi toute l'amitié que j'avais pour ton frère.»

Consuelo jouait sérieusement depuis un quart d'heure avec cette aimable bestiole, lorsqu'elle entendit au dehors un petit sifflement qui parut faire tressaillir l'intelligente créature. Elle laissa tomber les friandises que lui avait prodiguées sa nouvelle amie, hésita un peu, fit briller ses grands yeux noirs, et tout à coup se détermina à prendre sa volée vers la fenêtre, entraînée par le nouvel avertissement d'une autorité irrécusable. Consuelo la suivit des yeux, et la vit se perdre dans le feuillage. Mais en cherchant à l'y découvrir encore, elle aperçut au fond de son jardin, sur l'autre rive du ruisseau qui le bornait, dans un endroit un peu découvert, un personnage facile à reconnaître malgré la distance. C'était Gottlieb, qui se traînait le long de l'eau d'une manière assez réjouie, en chantant et en essayant de sautiller. Consuelo, oubliant un peu la défense des Invisibles, s'efforça, en agitant son mouchoir à la fenêtre, d'attirer son attention. Mais il était absorbé par le soin de rappeler son rougegorge. Il levait la tête vers les arbres en sifflant, et il s'éloigna sans avoir remarqué Consuelo.

«Dieu soit béni, et les Invisibles aussi, en dépit de Supperville! se ditelle. Ce pauvre enfant paraît heureux et mieux portant; son ange gardien le rougegorge est avec lui. Il me semble que c'est aussi pour moi le présage d'une riante destinée. Allons, ne doutons plus de mes protecteurs: la méfiance flétrit le cœur.»

Elle chercha comment elle pourrait occuper son temps d'une manière fructueuse pour se préparer à la nouvelle éducation morale qu'on lui avait annoncée, et elle s'avisa de lire, pour la première fois depuis qu'elle était à ***. Elle entra dans la bibliothèque, sur laquelle elle n'avait encore jeté qu'un coup d'œil distrait, et résolut d'examiner sérieusement le choix des livres qu'on avait mis à sa disposition. Ils étaient peu nombreux, mais extrêmement curieux et probablement fort rares, sinon uniques pour la plupart. C'était une collection des écrits des philosophes les plus remarquables de toutes les époques et de toutes les nations, mais abrégés et réduits à l'essence de leurs doctrines, et traduits dans les diverses langues que Consuelo pouvait comprendre.

Plusieurs, n'ayant jamais été publiés en traductions, étaient manuscrits, particulièrement ceux des hérétiques et novateurs célèbres du moyen âge, précieuses dépouilles du passé dont les fragments importants, et même quelques exemplaires complets, avaient échappé aux recherches de l'inquisition, et aux dernières violations exercées par les jésuites dans les vieux châteaux hérétiques de l'Allemagne, lors de la guerre de trente ans. Consuelo ne pouvait apprécier la valeur de ces trésors philosophiques recueillis par quelque bibliophile aident, ou par quelque adepte courageux. Les originaux l'eussent intéressée à cause des caractères et des vignettes, mais elle n'en avait sous les yeux qu'une traduction, faite avec soin et calligraphiée avec élégance par quelque moderne. Cependant elle rechercha de préférence les traductions fidèles de Wickleff, de Jean Huss, et des philosophes chrétiens réformateurs qui se rattachaient, dans les temps antérieurs, contemporains et subséquents, à ces pères de la nouvelle ère religieuse. Elle ne les avait pas lus, mais elle les connaissait assez bien par ses longues conversations avec Albert. En les feuilletant, elle ne les lut guère davantage, et pourtant elle les connut de mieux en mieux. Consuelo avait l'âme essentiellement religieuse, sans avoir l'esprit philosophique. Si elle n'eût vécu dans ce milieu raisonneur et clairvoyant du monde de son temps, elle eût facilement tourné à la superstition et au fanatisme. Telle qu'elle était encore, elle comprenait mieux les discours exaltés de Gottlieb que les écrits de Voltaire, lus cependant avec ardeur par toutes les belles dames de l'époque. Cette fille intelligente et simple, courageuse et tendre, n'avait pas la tête façonnée aux subtilités du raisonnement. Elle était toujours éclairée par le cœur avant de l'être par le cerveau. Saisissant toutes les révélations du sentiment, par une prompte assimilation, elle pouvait être instruite philosophiquement; et elle l'avait été remarquablement pour son âge, pour son sexe et pour sa position, par l'enseignement d'une parole amie, de la parole éloquente et chaleureuse d'Albert. Les organisations d'artistes acquièrent plus dans les émotions d'un cours ou d'une prédication que dans l'étude patiente et souvent froide des livres. Telle était Consuelo: elle ne pouvait pas lire une page entière avec attention; mais si une grande pensée, heureusement rendue et résumée par une expression colorée, venait à la frapper, son âme s'y attachait; elle se la répétait comme une phrase musicale: le sens, quelque profond qu'il fût, la pénétrait comme un rayon divin, elle vivait sur cette idée, elle l'appliquait à toutes ses émotions, elle y puisait une force réelle, elle se la rappelait toute sa vie. Et ce n'était pas pour elle une vaine sentence, c'était une règle de conduite, une armure pour le combat. Qu'avaitelle besoin d'analyser et de résumer le livre où elle l'avait saisie? Tout ce livre se trouvait écrit dans son cœur, dès que l'inspiration qui l'avait produit s'était emparée d'elle. Sa destinée ne lui commandait pas d'aller au delà. Elle ne prétendait pas à concevoir savamment un monde philosophique dans son esprit. Elle sentait la chaleur des secrètes révélations qui sont accordées aux âmes poétiques lorsqu'elles sont aimantes. C'est ainsi qu'elle lut pendant plusieurs jours sans rien lire. Elle n'eût pu rendre compte de rien; mais plus d'une page où elle n'avait vu qu'une ligne fut mouillée de ses larmes, et souvent elle courut au clavecin pour y improviser des chants dont la tendresse et la grandeur furent l'expression brûlante et spontanée de son émotion généreuse.

Une semaine entière s'écoula pour elle dans une solitude que ne troublèrent plus les rapports de Matteus. Elle s'était promis de ne plus lui adresser la moindre question, et peutêtre avaitil été tancé de son indiscrétion, car il était devenu aussi taciturne qu'il avait été prolixe dans les premiers jours. Le rougegorge revint voir Consuelo tous les malins, mais sans être accompagné de loin par Gottlieb. Il semblait que ce petit être (Consuelo n'était pas loin de le croire enchanté) eût des heures régulières pour venir l'égayer de sa présence, et s'en retourner ponctuellement vers midi, auprès de son autre ami. Au fait, il n'y avait rien là de merveilleux. Les animaux en liberté ont des habitudes, et se font un emploi réglé de leurs journées, avec plus d'intelligence et de prévision encore que les animaux domestiques. Un jour, cependant, Consuelo remarqua qu'il ne volait pas aussi gracieusement qu'à l'ordinaire. Il paraissait contraint et impatienté. Au lieu de venir becqueter ses doigts, il ne songeait qu'à se débarrasser à coups d'ongles et de bec d'une entrave irritante. Consuelo s'approcha de lui, et vit un fil noir qui pendait à son aile. Le pauvre petit avaitil été pris dans un lacet, et ne s'en étaitil échappé qu'à force de courage et d'adresse, emportant un bout de sa chaîne? Elle n'eut pas de peine à le prendre, niais elle en eut un peu à le délivrer d'un brin de soie adroitement croisé sur son dos, et qui fixait sous l'aile gauche un trèspetit sachet d'étoffe brune fort mince. Dans ce sachet elle trouva un billet écrit en caractères imperceptibles sur un papier si fin, qu'elle craignait de le rompre avec son souffle. Dès les premiers mots, elle vit bien que c'était un message de son cher inconnu. Il contenait ce peu de mots:

«On m'a confié une œuvre généreuse, espérant que le plaisir de faire le bien calmerait l'inquiétude de ma passion. Mais rien, pas même l'exercice de la charité, ne peut distraire une âme où tu règnes. J'ai accompli ma tâche plus vite qu'on ne le croyait possible. Je suis de retour, et je t'aime plus que jamais. Le ciel pourtant s'éclaircit. J'ignore ce qui s'est passé entre toi et eux; mais ils semblent plus favorables, et mon amour n'est plus traité comme un crime, mais comme un malheur pour moi seulement. Un malheur! Oh! ils n'aiment pas! Ils ne savent pas que je ne puis être malheureux si tu m'aimes; et tu m'aimes, n'estce pas? Disle au rougegorge de Spandaw. C'est lui. Je l'ai apporté dans mon sein. Oh! qu'il me paie de mes soins en m'apportant un mot de toi! Gottlieb me le remettra fidèlement sans le regarder.»

Les mystères, les circonstances romanesques attisent le feu de l'amour. Consuelo éprouva la plus violente tentation de répondre, et la crainte de déplaire aux Invisibles, le scrupule de manquer à ses promesses, ne la retinrent que faiblement, il faut bien l'avouer. Mais, en songeant qu'elle pouvait être découverte et provoquer un nouvel exil du chevalier, elle eut le courage de s'abstenir. Elle rendit la liberté au rougegorge sans lui confier un seul mot de réponse, mais non sans répandre des larmes amères sur le chagrin et le désappointement que cette sévérité causerait à son amant.

Elle essaya de reprendre ses études; mais ni la lecture ni le chant ne purent la distraire de l'agitation qui bouillonnait dans son sein, depuis qu'elle savait le chevalier près d'elle. Elle ne pouvait s'empêcher d'espérer qu'il désobéirait pour deux, et qu'elle le verrait se glisser le soir dans les buissons fleuris de son jardin. Mais elle ne voulut pas l'encourager en se montrant. Elle passa la soirée enfermée, épiant, à travers sa jalousie, palpitante, remplie de crainte et de désir, résolue pourtant à ne pas répondre à son appel. Elle ne le vit point paraître, et en éprouva autant de douleur et de surprise que si elle eût compté sur une témérité dont elle l'eût pourtant blâmé, et qui eût réveillé toutes ses terreurs. Tous les petits drames mystérieux des jeunes et brûlantes amours s'accomplirent dans son sein en quelques heures. C'était une phase nouvelle, des émotions inconnues dans sa vie. Elle avait souvent attendu Anzoleto, le soir, sur les quais de Venise ou sur les terrasses de la Corte Minelli; mais elle l'avait attendu en repassant sa leçon du matin, ou en disant son chapelet, sans impatience, sans frayeur, sans palpitations et sans angoisse. Cet amour d'enfant était encore si près de l'amitié, qu'il ne ressemblait en rien à ce qu'elle sentait maintenant pour Liverani. Le lendemain, elle attendit le rougegorge avec anxiété, le rougegorge ne vint pas. Avaitil été saisi au passage par de farouches argus? L'humeur que lui donnait cette ceinture de soie et ce fardeau pesant pour lui l'avaitil empêché de sortir? Mais il avait tant d'esprit, qu'il se fût rappelé que Consuelo l'en avait délivré la veille, et il fût venu la prier de lui rendre encore ce service.

Consuelo pleura toute la journée. Elle qui ne trouvait pas de larmes dans les grandes catastrophes, et qui n'en avait pas versé une seule sur son infortune à Spandaw, elle se sentit brisée et consumée par les souffrances de son amour, et chercha en vain les forces qu'elle avait eues contre tous les autres maux de sa vie.

Le soir elle s'efforçait de lire une partition au clavecin, lorsque deux figures noires se présentèrent à l'entrée du salon de musique sans qu'elle les eût entendues monter. Elle ne put retenir un cri de frayeur à l'apparition de ces spectres; mais l'un d'eux lui dit d'une voix plus douce que la première fois:

«Suisnous.»

Et elle se leva en silence pour leur obéir. On lui présenta un bandeau de soie en lui disant:

«Couvre tes yeux toimême, et jure que tu le feras en conscience. Jure aussi que si ce bandeau venait à tomber ou à se déranger tu fermerais les yeux jusqu'à ce que nous t'ayons dit de les ouvrir.

Je vous le jure, répondit Consuelo.

Ton serment est accepté comme valide,» reprit le conducteur.

Et Consuelo marcha comme la première fois dans le souterrain; mais quand on lui eut dit de s'arrêter, une voix inconnue ajouta:

«Ôte toimême ce bandeau. Désormais personne ne portera plus la main sur toi. Tu n'auras d'autre gardien que ta parole.»

Consuelo se trouva dans un cabinet voûté et éclairé d'une seule petite lampe sépulcrale suspendue à la clef pendante du milieu. Un seul juge, en robe rouge et en masque livide, était assis sur un antique fauteuil auprès d'une table. Il était voûté par l'âge; quelques mèches argentées s'échappaient de dessous sa toque. Sa voix était cassée et tremblante. L'aspect de la vieillesse changea en respectueuse déférence la crainte dont ne pouvait se défendre Consuelo à l'approche d'un Invisible.

«Écoutemoi bien, lui ditil, en lui faisant signe de s'asseoir sur un escabeau à quelque distance. Tu comparais ici devant ton confesseur. Je suis le plus vieux du conseil, et le calme de ma vie entière m'a rendu l'esprit aussi chaste que le plus chaste des prêtres catholiques. Je ne mens pas. Veuxtu me récuser cependant? tu es libre.

Je vous accepte, répondit Consuelo, pourvu, toutefois, que ma confession n'implique pas celle d'autrui.

Vain scrupule! reprit le vieillard. Un écolier ne révèle pas à un pédant la faute de son camarade; mais un fils se hâte d'avertir son père de celle de son frère, parce qu'il sait que le père réprime et corrige sans châtier. Du moins telle devrait être la loi de la famille. Tu es ici dans le sein d'une famille qui cherche la pratique de l'idéal. Astu confiance?»

Cette question, assez arbitraire dans la bouche d'un inconnu, fut faite avec tant de douceur et d'un son de voix si sympathique, que Consuelo, entraînée et attendrie subitement, répondit sans hésiter:

«J'ai pleine confiance.

Écoute encore, reprit le vieillard. Tu as dit, la première fois que tu as comparu devant nous, une parole que nous avons recueillie et pesée: «C'est une étrange torture morale pour une femme que de se confesser hautement devant huit hommes.» Ta pudeur a été prise en considération. Tu ne te confesseras qu'à moi, et je ne trahirai pas tes secrets. Il m'a été donné plein pouvoir, quoique je ne sois dans le conseil audessus de personne, de te diriger dans une affaire particulière d'une nature délicate, et qui n'a qu'un rapport indirect avec celle de ton initiation. Me répondrastu sans embarras? Mettrastu ton cœur à nu devant moi?

Je le ferai.

Je ne te demanderai rien de ton passé. On te l'a dit, ton passé ne nous appartient pas; mais on t'a avertie de purifier ton âme dès l'instant qui a marqué le commencement de ton adoption. Tu as dû faire tes réflexions sur les difficultés et les conséquences de cette adoption: ce n'est pas à moi seul que tu en dois compte: il s'agit d'autre chose entre toi et moi. Réponds donc.

Je suis prête.

Un de nos enfants a conçu de l'amour pour toi. Depuis huit jours, répondstu à cet amour ou le repoussestu?

Je l'ai repoussé dans toutes mes actions.

Je le sais. Tes moindres actions nous sont connues. Je te demande le secret de ton cœur, et non celui de ta conduite.»

Consuelo sentit ses joues brûlantes et garda le silence.

«Tu trouves ma question bien cruelle. Il faut répondre cependant. Je ne veux rien deviner. Je dois connaître et enregistrer.

Eh bien, j'aime!» répondit Consuelo, emportée par le besoin d'être vraie.

Mais à peine eutelle prononcé ce mot avec audace, qu'elle fondit en larmes. Elle venait de renoncer à la virginité de son âme.

«Pourquoi pleurestu? reprit le confesseur avec douceur. Estce de honte ou de repentir?

Je ne sais. Il me semble que ce n'est pas de repentir; j'aime trop pour cela.

Qui aimestu?

Vous le savez, moi je ne le sais pas.

Mais si je l'ignorais! Son nom?

Liverani.

Ce n'est le nom de personne. Il est commun à tous ceux de nos adeptes qui veulent le porter et s'en servir: c'est un nom de guerre, comme tous ceux que la plupart de nous portent dans leurs voyages.

Je ne lui en connais pas d'autre, et ce n'est pas de lui que je l'ai appris.

Son âge?

Je ne le lui ai pas demandé.

Sa figure?

Je ne l'ai pas vue.

Comment le reconnaîtraistu?

Il me semble qu'en touchant sa main je le reconnaîtrais.

Et si l'on remettait ton sort à cette épreuve, et que tu vinsses à te tromper?

Ce serait horrible.

Frémis donc de ton imprudence, malheureuse enfant! ton amour est insensé.

Je le sais bien.

Et tu ne le combats pas dans ton cœur?

Je n'en ai pas la force.

En astu le désir?

Pas même le désir.

Ton cœur est donc libre de toute autre affection?

Entièrement.

Mais tu es veuve?

Je crois l'être.

Et si tu ne l'étais pas?

Je combattrais mon amour et je ferais mon devoir.

Avec regret? avec douleur?

Avec désespoir peutêtre. Mais je le ferais.

Tu n'as donc pas aimé celui qui a été ton époux?

Je l'ai aimé d'amitié fraternelle; j'ai fait tout mon possible pour l'aimer d'amour.

Et tu ne l'as pas pu?

Maintenant que je sais ce que c'est qu'aimer, je puis dire non.

N'aie donc pas de remords; l'amour ne s'impose pas. Tu crois aimer ce Liverani? sérieusement, religieusement, ardemment?

Je sens tout cela dans mon cœur, à moins qu'il n'en soit indigne!...

Il en est digne.

Ô mon père! s'écria Consuelo transportée de reconnaissance et prête à s'agenouiller devant le vieillard.

Il est digne d'un amour immense autant qu'Albert luimême! mais il faut renoncer à lui.

C'est donc moi qui n'en suis pas digne? répondit Consuelo douloureusement.

Tu en serais digne, mais tu n'es pas libre. Albert de Rudolstadt est vivant.

Mon Dieu! pardonnezmoi!» murmura Consuelo en tombant à genoux et en cachant son visage dans ses mains.

Le confesseur et la pénitente gardèrent un douloureux silence. Mais bientôt Consuelo, se rappelant les accusations de Supperville, fut pénétrée d'horreur. Ce vieillard dont la présence la remplissait de vénération, se prêtaitil à une machination infernale? exploitaitil la vertu et la sensibilité de l'infortunée Consuelo pour la jeter dans les bras d'un misérable imposteur? Elle releva la tête et, pâle d'épouvante, l'œil sec, la bouche tremblante, elle essaya de percer du regard ce masque impassible qui lui cachait peutêtre la pâleur d'un coupable, ou le rire diabolique d'un scélérat.

«Albert est vivant? ditelle: en êtesvous bien sûr, Monsieur? Savezvous qu'il y a un homme qui lui ressemble, et que moimême y ai cru voir Albert en le voyant.

Je sais tout ce roman absurde, répondit le vieillard d'un ton calme, je sais toutes les folies que Supperville a imaginées pour se disculper du crime de lèsescience qu'il a commis en faisant porter dans le sépulcre un homme endormi. Deux mots feront écrouler cet échafaudage de folies. Le premier, c'est que Supperville a été jugé incapable de dépasser les grades insignifiants des sociétés secrètes dont nous avons la direction suprême, et que sa vanité blessée, jointe à une curiosité maladive et indiscrète, n'a pu supporter cet outrage. Le second, c'est que le comte Albert n'a jamais songé à réclamer son héritage, qu'il y a volontairement renoncé, et que jamais il ne consentirait à reprendre son nom et son rang dans le monde. Il ne pourrait plus le faire sans soulever des discussions scandaleuses sur son identité, que sa fierté ne supporterait pas. Il a peutêtre mal compris ses véritables devoirs en renonçant pour ainsi dire à luimême. Il eût pu faire de sa fortune un meilleur usage que ses héritiers. Il s'est retranché un des moyens de pratiquer la charité que la Providence lui avait mis entre les mains; mais il lui en reste assez d'autres, et d'ailleurs la voix de son amour a été plus forte en ceci que celle de sa conscience. Il s'est rappelé que vous ne l'aviez pas aimé, précisément parce qu'il était riche et noble. Il a voulu abjurer sans retour possible sa fortune et son nom. Il l'a fait, et nous l'avons permis. Maintenant vous ne l'aimez pas, vous en aimez un autre. Il ne réclamera jamais de vous le titre d'époux, qu'il n'a dû, à son agonie, qu'à votre compassion. Il aura le courage de renoncer à vous. Nous n'avons pas d'autre pouvoir sur celui que vous appelez Liverani et sur vous, que celui de la persuasion. Si vous voulez fuir ensemble, nous ne pouvons l'empêcher. Nous n'avons ni cachots, ni contraintes, ni peines corporelles à notre service, quoi qu'un serviteur crédule et craintif ait pu vous dire à cet égard; nous haïssons les moyens de la tyrannie. Votre sort est dans vos mains. Allez faire vos réflexions encore une fois, pauvre Consuelo, et que Dieu vous inspire!»

Consuelo avait écouté ce discours avec une profonde stupeur. Quand le vieillard eut fini, elle se leva et dit avec énergie:

«Je n'ai pas besoin de réfléchir, mon choix est fait. Albert estil ici? conduisezmoi à ses pieds.

Albert n'est point ici. Il ne pouvait être témoin de cette lutte. Il ignore même la crise que vous subissez à cette heure.

Ô mon cher Albert! s'écria Consuelo en levant les bras vers le ciel, j'en sortirai victorieuse.» Puis s'agenouillant devant le vieillard: «Mon père, ditelle, absolvezmoi, et aidezmoi à ne jamais revoir ce Liverani; je ne veux plus l'aimer, je ne l'aimerai plus.»

Le vieillard étendit ses mains tremblotantes sur la tête de Consuelo; mais lorsqu'il les retira, elle ne put se relever. Elle avait refoulé ses sanglots dans son sein, et brisée par un combat audessus de ses forces, elle fut forcée de s'appuyer sur le bras du confesseur pour sortir de l'oratoire.

Le lendemain le rougegorge vint à midi frapper du bec et de l'ongle à la croisée de Consuelo. Au moment de lui ouvrir, elle remarqua le fil noir croisé sur sa poitrine orangée, et un élan involontaire lui fit porter la main à l'espagnolette. Mais elle la retira aussitôt, «Va t'en, messager de malheur, ditelle, vat'en, pauvre innocent, porteur de lettres coupables et de paroles criminelles. Je n'aurais peutêtre pas le courage de ne pas répondre à un dernier adieu. Je ne dois pas même laisser connaître que je regrette et que je souffre.»

Elle s'enfuit dans le salon de musique, afin d'échapper au tentateur ailé qui, habitué à une meilleure réception, voltigeait et se heurtait au vitrage avec une sorte de colère. Elle se mit au clavecin pour ne pas entendre les cris et les reproches de son favori qui l'avait suivie à la fenêtre de cette pièce, et elle éprouvait quelque chose de semblable à l'angoisse d'une mère qui ferme l'oreille aux plaintes et aux prières de son enfant en pénitence. Ce n'était pourtant pas au dépit et au chagrin du rougegorge que la pauvre Consuelo était le plus sensible dans ce moment. Le billet qu'il apportait sous son aile avait une voix bien plus déchirante; c'était cette voix qui semblait, à notre recluse romanesque, pleurer et se lamenter pour être écoutée.

Elle résista pourtant; mais il est de la nature de l'amour de s'irriter des obstacles et de revenir à l'assaut, toujours plus impérieux et plus triomphant après chacune de nos victoires. On pourrait dire, sans métaphore, que lui résister, c'est lui fournir de nouvelles armes. Vers trois heures, Matteus entra avec la gerbe de fleurs qu'il apportait chaque jour à sa prisonnière (car au fond il l'aimait pour sa douceur et sa bonté); et, selon son habitude, elle délia ces fleurs afin de les arranger ellemême dans les beaux vases de la console. C'était un des plaisirs de sa captivité; mais cette fois elle y fut peu sensible, et elle s'y livrait machinalement, comme pour tuer quelques instants de ces lentes heures qui la consumaient, lorsqu'en déliant le paquet de narcisses qui occupait le centre de la gerbe parfumée, elle fit tomber une lettre bien cachetée, mais sans adresse. En vain essayatelle de se persuader qu'elle pouvait être du tribunal des Invisibles. Matteus l'eûtil apportée sans cela? Malheureusement Matteus n'était déjà plus à portée de donner des explications. Il fallut le sonner. Il avait besoin de cinq minutes pour reparaître, il en mit par hasard au moins dix. Consuelo avait eu trop de courage contre le rougegorge pour en conserver contre le bouquet. La lettre était lue lorsque Matteus rentra, juste au moment où Consuelo arrivait à ce postscriptum: «N'interrogez pas Matteus; il ignore la désobéissance que je lui fais commettre.» Matteus fut simplement requis de remonter la pendule qui était arrêtée.

La lettre du chevalier était plus passionnée, plus impétueuse que toutes les autres, elle était même impérieuse dans son délire. Nous ne la transcrirons pas. Les lettres d'amour ne portent l'émotion que dans le cœur qui inspire et partage le feu qui les a dictées. Par ellesmêmes elles se ressemblent toutes: mais chaque être épris d'amour trouve dans celle qui lui est adressée une puissance irrésistible, une nouveauté incomparable. Personne ne croit être aimé autant qu'un autre, ni de la même manière; il croit être le plus aimé, le seul aimé qui soit au monde. Là où cet aveuglement ingénu et cette fascination orgueilleuse n'existent pas, il n'y a point de passion; et la passion avait envahi enfin le paisible et noble cœur de Consuelo.

Le billet de l'inconnu porta le trouble dans toutes ses pensées. Il implorait une entrevue; il faisait plus, il l'annonçait et s'excusait d'avance sur la nécessité de mettre les derniers moments à profit. Il feignait de croire que Consuelo avait aimé Albert et pouvait l'aimer encore. Il feignait aussi de vouloir se soumettre à son arrêt, et, en attendant, il exigeait un mot de pitié, une larme de regret, un dernier adieu; toujours ce dernier adieu qui est comme la dernière apparition d'un grand artiste annoncée au public, et heureusement suivi de beaucoup d'autres.

La triste Consuelo (triste et pourtant dévorée d'une joie secrète, involontaire et brûlante à l'idée de cette entrevue) sentit, à la rougeur de son front et aux palpitations de son sein, qu'elle avait l'âme adultère en dépit d'ellemême. Elle sentit que ses résolutions et sa volonté ne la préservaient pas d'un entraînement inconcevable, et que, si le chevalier se décidait à rompre son vœu en lui parlant et en lui montrant ses traits, comme il y semblait résolu, elle n'aurait pas la force d'empêcher cette violation des lois de l'ordre invisible. Elle n'avait qu'un refuge, c'était d'implorer le secours de ce même tribunal. Mais fallaitil accuser et trahir Liverani? Le digne vieillard qui lui avait révélé l'existence d'Albert, et qui avait paternellement accueilli ses confidences la veille, recevrait celleci encore sous le sceau de la confession. Il plaindrait, lui, le délire du chevalier, il ne le condamnerait que dans le secret de son cœur. Consuelo lui écrivit qu'elle voulait le voir à neuf heures, le soir même, qu'il y allait de son honneur, de son repos, de sa vie peutêtre. C'était l'heure à laquelle l'inconnu s'était annoncé; mais à qui et par qui envoyer cette lettre? Matteus refusait de faire un pas hors de l'enclos avant minuit; c'était sa consigne, rien ne put l'ébranler. Il avait été vivement réprimandé pour n'avoir pas observé tous ses devoirs bien ponctuellement à l'égard de la prisonnière; il était désormais inflexible.

L'heure approchait, et Consuelo, tout en cherchant les moyens de se soustraire à l'épreuve fatale, n'avait pas songé un instant à celui d'y résister. Vertu imposée aux femmes, tu ne seras jamais qu'un nom tant que l'homme ne prendra point la moitié de la tâche! Tous tes plans de défense se réduisent à des subterfuges; toutes tes immolations du bonheur personnel échouent devant la crainte de désespérer l'objet aimé. Consuelo s'arrêta à une dernière ressource, suggestion de l'héroïsme et de la faiblesse qui se partageaient son esprit. Elle se mit à chercher l'entrée mystérieuse du souterrain qui était dans le pavillon même, résolue à s'y élancer et à se présenter à tout hasard devant les Invisibles. Elle supposait assez gratuitement que le lieu de leurs séances était accessible, une fois l'entrée du souterrain franchie, et qu'ils se réunissaient chaque soir en ce même lieu. Elle ne savait pas qu'ils étaient tous absents ce jourlà, et que Liverani était seul revenu sur ses pas, après avoir feint de les suivre dans une excursion mystérieuse.

Mais tous ses efforts pour trouver la porte secrète ou la trappe du souterrain furent inutiles. Elle n'avait plus, comme à Spandaw, le sangfroid, la persévérance, la foi nécessaires pour découvrir la moindre fissure d'une muraille, la moindre saillie d'une pierre. Ses mains tremblaient en interrogeant la boiserie et les lambris, sa vue était troublée; à chaque instant il lui semblait entendre les pas du chevalier sur le sable du jardin, ou sur le marbre du péristyle.

Tout à coup, il lui sembla les entendre audessous d'elle, comme s'il montait l'escalier caché sous ses pieds, comme s'il s'approchait d'une porte invisible, ou comme si, à la manière des esprits familiers, il allait percer la muraille pour se présenter devant ses yeux. Elle laissa tomber son flambeau et s'enfuit au fond du jardin. Le joli ruisseau qui le traversait arrêta sa course, elle écouta, et entendit, ou crut entendre marcher derrière elle. Alors elle perdit un peu la tête, et se jeta dans le batelet dont le jardinier se servait pour apporter du dehors du sable et des gazons. Consuelo s'imagina qu'en le détachant, elle irait échouer sur la rive opposée; mais le ruisseau était rapide, et sortait de l'enclos en se resserrant sous une arcade basse fermée d'une grille. Emportée à la dérive par le courant, la barque alla frapper en peu d'instants contre la grille. Consuelo s'y préserva d'un choc trop rude en s'élançant à la proue et en étendant les mains. Un enfant de Venise (et un enfant du peuple) ne pouvait pas être bien embarrassé de cette manœuvre. Mais, fortune bizarre! la grille céda sous sa main et s'ouvrit par la seule impulsion que le courant donnait au bateau. Hélas! pensa Consuelo, on ne ferme peutêtre jamais ce passage, car je suis prisonnière sur parole, et pourtant je fuis, je viole mon serment! Mais je ne le fais que pour chercher protection et refuge parmi mes hôtes, non pour les abandonner et les trahir.

Elle sauta sur la rive où un détour de l'eau avait poussé son esquif, et s'enfonça dans un taillis épais. Consuelo ne pouvait pas courir bien vite sous ces ombrages sombres. L'allée serpentait en se rétrécissant. La fugitive se heurtait à chaque instant contre les arbres, et tomba plusieurs fois sur le gazon. Cependant elle sentait revenir l'espoir dans son âme; ces ténèbres la rassuraient; il lui semblait impossible que Liverani pût l'y découvrir.

Après avoir marché fort longtemps au hasard, elle se trouva au bas d'une colline parsemée de rochers, dont la silhouette incertaine se dessinait sur un ciel gris et voilé. Un vent d'orage assez frais s'était élevé, et la pluie commençait à tomber. Consuelo, n'osant revenir sur ses pas, dans la crainte que Liverani n'eût retrouvé sa trace et ne la cherchât sur les rives du ruisseau, se hasarda dans le sentier un peu rude de la colline. Elle s'imagina qu'arrivée au sommet, elle découvrirait les lumières du château, quelle qu'en fût la position. Mais lorsqu'elle y fut arrivée dans les ténèbres, les éclairs, qui commençaient à embraser le ciel, lui montrèrent devant elle les ruines d'un vaste édifice, imposant et mélancolique débris d'un autre âge.

La pluie força Consuelo d'y chercher un abri, mais elle le trouva avec peine. Les tours étaient effondrées du haut en bas, à l'intérieur, et des nuées de gerfauts et de tiercelets s'y agitèrent à son approche, en poussant ce cri aigu et sauvage qui semble la voix des esprits de malheur, habitants des ruines.

Au milieu des pierres et des ronces, Consuelo, traversant la chapelle découverte qui dessinait, à la lueur bleuâtre des éclairs, les squelettes de ses ogives disloquées, gagna le préau, dont un gazon court et uni recouvrait le nivellement; elle évita un puits profond qui ne se trahissait à la surface du sol que par le développement de ses riches capillaires et d'un superbe rosier sauvage, tranquille possesseur de sa paroi intérieure. La masse de constructions ruinées qui entouraient ce préau abandonné offrait l'aspect le plus fantastique; et, au passage de chaque éclair, l'œil avait peine à comprendre ces spectres grêles et déjetés, toutes ces formes incohérentes de la destruction; d'énormes manteaux de cheminées, encore noircis en dessous par la fumée d'un foyer à jamais éteint, et sortant du milieu des murailles dénudées, à une hauteur effrayante; des escaliers rompus, élançant leur spirale dans le vide, comme pour conduire les sorcières à leur danse aérienne; des arbres entiers installés et grandis dans des appartements encore parés d'un reste de fresques; des bancs de pierre dans les embrasures profondes des croisées, et toujours le vide au dedans comme au dehors de ces retraites mystérieuses, refuges des amants en temps de paix, tanières des guetteurs aux heures du danger; enfin des meurtrières festonnées de coquettes guirlandes, des pignons isolés s'élevant dans les airs comme des obélisques, et des portes comblées jusqu'au tympan par les atterrissements et les décombres. C'était un lieu effrayant et poétique; Consuelo s'y sentit pénétrée d'une sorte de terreur superstitieuse, comme si sa présence eût profané une enceinte réservée aux funèbres conférences ou aux silencieuses rêveries des morts. Par une nuit sereine et dans une situation moins agitée, elle eût pu admirer l'austère beauté de ce monument; elle ne se fût peutêtre pas apitoyée classiquement sur la rigueur du temps et des destins, qui renversent sans pitié le palais et la forteresse, et couchent leurs débris dans l'herbe à côté de ceux de la chaumière. La tristesse qu'inspirent les ruines de ces demeures formidables n'est pas la même dans l'imagination de l'artiste et dans le cœur du patricien. Mais en ce moment de trouble et de crainte, et par cette nuit d'orage, Consuelo, n'étant point soutenue par l'enthousiasme qui l'avait poussée à de plus sérieuses entreprises, se sentit redevenir l'enfant du peuple, tremblant à l'idée de voir apparaître les fantômes de la nuit, et redoutant surtout ceux des antiques châtelains, farouches oppresseurs durant leur vie, spectres désolés et menaçants après leur mort. Le tonnerre élevait la voix, le vent faisait crouler les briques et le ciment des murailles démantelées, les longs rameaux de la ronce et du lierre se tordaient comme des serpents aux créneaux des tours. Consuelo, cherchant toujours un abri contre la pluie et les éboulements, pénétra sous la voûte d'un escalier qui paraissait mieux conservé que les autres; c'était celui de la grande tour féodale, la plus ancienne et la plus solide construction de tout l'édifice. Au bout de vingt marches, elle rencontra une grande salle octogone qui occupait tout l'intérieur de la tour, l'escalier en vis étant pratiqué, comme dans toutes les constructions de ce genre, dans l'intérieur du mur, épais de dixhuit à vingt pieds. La voûte de cette salle avait la forme intérieure d'une ruche. Il n'y avait plus ni portes ni fenêtres; mais ces ouvertures étaient si étroites et si profondes, que le vent ne pouvait s'y engouffrer. Consuelo résolut d'attendre en ce lieu la fin de la tempête; et, s'approchant d'une fenêtre, elle y resta plus d'une heure à contempler le spectacle imposant du ciel embrasé, et à écouter les voix terribles de l'orage.

Enfin le vent tomba, les nuées se dissipèrent, et Consuelo songea à se retirer; mais en se retournant, elle fut surprise de voir une clarté plus permanente que celle des éclairs régner dans l'intérieur de la salle. Cette clarté, après avoir hésité, pour ainsi dire, grandit et remplit toute la voûte, tandis qu'un léger pétillement se faisait entendre dans la cheminée. Consuelo regarda de ce côté, et vit sous le demicintre de cet âtre antique, énorme gueule béante devant elle, un feu de branches qui venait de s'allumer comme de luimême. Elle s'en approcha, et remarqua des bûches à demi consumées, et tous les débris d'un feu naguère entretenu, et récemment abandonné sans grande précaution.

Effrayée de cette circonstance qui lui révélait la présence d'un hôte, Consuelo qui ne voyait pourtant pas trace de mobilier autour d'elle, retourna vivement vers l'escalier et s'apprêtait à le descendre, lorsqu'elle entendit des voix en bas, et des pas qui faisaient craquer les gravois dont il était semé. Ses terreurs fantastiques se changèrent alors en appréhensions réelles. Cette tour humide et dévastée ne pouvait être habitée que par quelque gardechasse, peutêtre aussi sauvage que sa demeure, peutêtre ivre et brutal, et bien vraisemblablement moins civilisé et moins respectueux que l'honnête Matteus. Les pas se rapprochaient assez rapidement. Consuelo monta l'escalier à la hâte pour n'être pas rencontrée par ces problématiques arrivants, et après avoir franchi encore vingt marches, elle se trouva au niveau du second étage où il était peu probable qu'on aurait l'occasion de la rejoindre, car il était entièrement découvert et par conséquent inhabitable. Heureusement pour elle la pluie avait cessé; elle apercevait même briller quelques étoiles à travers la végétation vagabonde qui avait envahi le couronnement de la tour, à une dizaine de toises audessus de sa tête. Un rayon de lumière partant de dessous ses pieds se projeta bientôt sur les sombres parois de l'édifice, et Consuelo, s'approchant avec précaution, vit par une large crevasse ce qui se passait à l'étage inférieur qu'elle venait de quitter. Deux hommes étaient dans la salle, l'un marchant et frappant du pied comme pour se réchauffer, l'autre penché sous le large manteau de la cheminée, et occupé à ranimer le feu qui commençait à monter dans l'âtre. D'abord elle ne distingua que leurs vêtements qui annonçaient une condition brillante, et leurs chapeaux qui lui cachaient leurs visages; mais la clarté du foyer s'étant répandue, et celui qui l'attisait avec la pointe de son épée s'étant relevé pour accrocher son chapeau à une pierre saillante du mur, Consuelo vit une chevelure noire qui la fit tressaillir, et le haut d'un visage qui faillit lui arracher un cri de terreur et de tendresse tout à la fois. Il éleva la voix, et Consuelo n'en douta plus, c'était Albert de Rudolstadt.

«Approchez, mon ami, disaitil à son compagnon, et réchauffezvous à l'unique cheminée qui reste debout dans ce vaste manoir. Voilà un triste gîte, monsieur de Trenck, mais vous en avez trouvé de pires dans vos rudes voyages.

Et même je n'en ai souvent pas trouvé du tout, répondit l'amant de la princesse Amélie. Vraiment celuici est plus hospitalier qu'il n'en a l'air, et je m'en serais accommodé plus d'une fois avec plaisir. Ah ça, mon cher comte, vous venez donc quelquefois méditer sur ces ruines, et faire la veillée des armes dans cette tour endiablée?

J'y viens souvent en effet, et pour des raisons plus concevables. Je ne puis vous les dire maintenant, mais vous les saurez plus tard.

Je les devine de reste. Du haut de cette tour, vous plongez dans un certain enclos, et vous dominez un certain pavillon.

Non, Trenck. La demeure dont vous parlez est cachée derrière les bois de la colline, et je ne la vois pas d'ici.

Mais vous êtes à portée de vous y rendre en peu d'instants, et de vous réfugier ensuite ici contre les surveillants incommodes. Allons, convenez que tout à l'heure, lorsque je vous ai rencontré dans le bois...

Je ne puis convenir de rien, ami Trenck, et vous m'avez promis de ne pas m'interroger.

Il est vrai. Je ne devrais songer qu'à me réjouir de vous avoir retrouvé dans ce parc immense, ou plutôt dans cette forêt, où j'avais si bien perdu mon chemin, que, sans vous, je me serais jeté dans quelque pittoresque ravin ou noyé dans quelque limpide torrent. Sommesnous loin du château?

À plus d'un quart de lieue. Séchez donc vos habits pendant que le vent sèche les sentiers du parc, et nous nous remettrons en route.

Ce vieux château me plaît moins que le nouveau, je vous le confesse, et je conçois fort bien qu'on l'ait abandonné aux orfraies. Pourtant, je me sens heureux de m'y trouver seul avec vous à cette heure, et par cette soirée lugubre. Cela me rappelle notre première rencontre dans les ruines d'une antique abbaye de la Silésie, mon initiation, les serments que j'ai prononcés entre vos mains, vous, mon juge, mon examinateur et maître alors, mon frère et mon ami aujourd'hui! cher Albert! quelles étranges et funestes vicissitudes ont passé depuis sur nos têtes! Morts tous deux à nos familles, à nos patries, à nos amours peutêtre!... qu'allonsnous devenir, et quelle sera désormais notre vie parmi les hommes?

La tienne peut encore être entourée d'éclat et remplie d'enivrements, mon cher Trenck! La domination du tyran qui te hait a des limites, grâces à Dieu, sur le sol de l'Europe.

Mais ma maîtresse, Albert? seratil possible que ma maîtresse me reste éternellement et inutilement fidèle?

Tu ne devrais pas le désirer, ami; mais il n'est que trop certain que sa passion sera aussi durable que son malheur.

Parlezmoi donc d'elle, Albert! Plus heureux que moi, vous pouvez la voir et l'entendre, vous!...

Je ne le pourrai plus, cher Trenck; ne vous faites pas d'illusions à cet égard. Le nom fantastique et le personnage bizarre de Trismégiste dont on m'avait affublé, et qui m'ont protégé, durant plusieurs années, dans mes courtes et mystérieuses relations avec le palais de Berlin, ont perdu leur prestige; mes amis seront discrets, et mes dupes (puisque pour servir notre cause et votre amour, j'ai été forcé de faire bien innocemment quelques dupes), ne seraient pas plus clairvoyantes que par le passé; mais Frédéric a senti l'odeur d'une conspiration, et je ne puis plus retourner en Prusse. Mes efforts y seraient paralysés par sa méfiance et la prison de Spandaw ne s'ouvrirait pas une seconde fois pour mon évasion.

Pauvre Albert! tu as dû souffrir dans cette prison, autant que moi dans la mienne, plus peutêtre!

Non, j'étais près d'elle. J'entendais sa voix, je travaillais à sa délivrance. Je ne regrette ni d'avoir enduré l'horreur du cachot, ni d'avoir tremblé pour sa vie. Si j'ai souffert pour moi, je ne m'en suis pas aperçu; si j'ai souffert pour elle, je ne m'en souviens plus. Elle est sauvée et elle sera heureuse.

Par vous, Albert? Ditesmoi qu'elle ne sera heureuse que par vous et avec vous, ou bien je ne l'estime plus, je lui retire mon admiration et mon amitié.

Ne parlez pas ainsi, Trenck. C'est outrager la nature, l'amour et le ciel. Nos femmes sont aussi libres envers nous que nos amantes, et vouloir les enchaîner au nom d'un devoir profitable à nous seuls, serait un crime et une profanation.

Je le sais, et sans m'élever à la même vertu que toi, je sens bien que si Amélie m'eût retiré sa parole au lieu de me la confirmer, je n'aurais pas cessé pour cela de l'aimer et de bénir les jours de bonheur qu'elle m'a donnés; mais il m'est bien permis de t'aimer plus que moimême et de haïr quiconque ne t'aime pas? Tu souris, Albert, tu ne comprends pas mon amitié; et moi je ne comprends pas ton courage. Ah! s'il est vrai que celle qui a reçu ta foi se soit éprise (avant l'expiration de son deuil, l'insensée!) d'un de nos frères, fûtil le plus méritant d'entre nous, et le plus séduisant des hommes du monde, je ne pourrai jamais le lui pardonner. Pardonne, toi, si tu le peux!

Trenck! Trenck! tu ne sais pas de quoi tu parles; tu ne comprends pas, et moi je ne puis m'expliquer. Ne la juge pas encore, cette femme admirable; plus tard, tu la connaîtras.

Et qui t'empêche de la justifier à mes yeux! Parle donc! À quoi bon ce mystère? nous sommes seuls ici. Tes aveux ne sauraient la compromettre, et aucun serment que je sache, ne t'engage à me cacher ce que nous soupçonnons tous d'après ta conduite. Elle ne t'aime plus? quelle sera son excuse?

M'avaitelle donc jamais aimé?

Voilà son crime. Elle ne t'a jamais compris.

Elle ne le pouvait pas, et moi je ne pouvais me révéler à elle. D'ailleurs j'étais malade, j'étais fou; on n'aime pas les fous, on les plaint et on les redoute.

Tu n'as jamais été fou, Albert; je ne t'ai jamais vu ainsi. La sagesse et la force de ton intelligence m'ont toujours ébloui, au contraire.

Tu m'as vu ferme et maître de moi dans l'action, tu ne m'as jamais vu dans l'agonie du repos, dans les tortures du découragement.

Tu connais donc le découragement, toi? Je ne l'aurais jamais pensé.

C'est que tu ne vois pas tous les dangers, tous les obstacles, tous les vices de notre entreprise. Tu n'as jamais été au fond de cet abîme où j'ai plongé toute mon âme et jeté toute mon existence; tu n'en as envisagé que le côté chevaleresque et généreux; tu n'en as embrassé que les travaux faciles et les riantes espérances.

C'est que je suis moins grand, moins enthousiaste, et, puisqu'il faut le dire, moins fanatique que toi, noble comte! Tu as voulu boire la coupe du zèle jusqu'à la lie, et quand l'amertume t'a suffoqué, tu as douté du ciel et des hommes.

Oui, j'ai douté, et j'en ai été bien cruellement puni.

Et maintenant doutestu encore? souffrestu toujours?

Maintenant j'espère, je crois, j'agis. Je me sens fort, je me sens heureux. Ne voistu pas la joie rayonner sur mon visage, et ne senstu pas l'ivresse déborder de mon sein?

Et cependant tu es trahi par ta maîtresse! que disje? par ta femme!

Elle ne fut jamais ni l'une ni l'autre. Elle ne me devait, elle ne me doit rien; elle ne me trahit point. Dieu lui envoie l'amour, la plus céleste des grâces d'en haut, pour la récompenser d'avoir eu pour moi un instant de pitié à mon lit de mort. Et moi, pour la remercier de m'avoir fermé les yeux, de m'avoir pleuré, de m'avoir béni au seuil de l'éternité que je croyais franchir, je revendiquerais une promesse arrachée à sa compassion généreuse, à sa charité sublime? je lui dirais: «Femme, je suis ton maître, tu m'appartiens de par la loi, de par ton imprudence et de par ton erreur. Tu vas subir mes embrassements parce que, dans un jour de séparation, tu as déposé un baiser d'adieu sur mon front glacé! Tu vas mettre à jamais ta main dans la mienne, l'attacher à mes pas, subir mon joug, briser dans ton sein un amour naissant, refouler des désirs insurmontables, te consumer de regrets dans mes bras profanes, sur mon cœur égoïste et lâche!» Oh! Trenck! pensezvous que je pusse être heureux en agissant ainsi? Ma vie ne seraitelle pas un supplice plus amer encore que le sien? La souffrance de l'esclave n'estelle pas la malédiction du maître? Grand Dieu! quel être est assez vil, assez abruti, pour s'enorgueillir et s'enivrer d'un amour non partagé, d'une fidélité contre laquelle le cœur de la victime se révolte? Grâce au ciel, je ne suis pas cet être là, je ne le serai jamais. J'allais ce soir trouver Consuelo; j'allais lui dire toutes ces choses, j'allais lui rendre sa liberté. Je ne l'ai pas rencontrée dans le jardin, où elle se promène ordinairement; à cette heure l'orage est venu et m'a ôté l'espérance de l'y voir descendre. Je n'ai pas voulu pénétrer dans ses appartements; j'y serais entré par le droit de l'époux. Le seul tressaillement de son épouvante, la pâleur seule de son désespoir, m'eussent fait un mal que je n'ai pu me résoudre à affronter.

Et n'astu pas rencontré aussi dans l'ombre le masque noir de Liverani?

Quel est ce Liverani?

Ignorestu le nom de ton rival?

Liverani est un faux nom. Le connaistu, toi, cet homme, ce rival heureux?

Non. Mais tu me demandes cela d'un air étrange? Albert, je crois te comprendre: tu pardonnes à ton épouse infortunée, tu l'abandonnes, tu le dois; mais tu châtieras, j'espère, le lâche qui l'a séduite?

Estu sûr que ce soit un lâche?

Quoi! l'homme à qui on avait confié le soin de sa délivrance et la garde de sa personne durant un long et périlleux voyage! celui qui devait la protéger, la respecter, ne pas lui adresser une seule parole, ne pas lui montrer son visage!... Un homme investi des pouvoirs et de l'aveugle confiance des Invisibles! ton frère d'armes et de serment, comme je suis le tien, sans doute? Ah! si l'on m'eût confié ta femme, Albert, je n'aurais pas seulement songé à cette criminelle trahison de me faire aimer d'elle!

Trenck, encore une fois, tu ne sais pas de quoi tu parles! Trois hommes seulement parmi nous savent quel est ce Liverani, et quel est son crime. Dans quelques jours tu cesseras de blâmer et de maudire cet heureux mortel à qui Dieu, dans sa bonté, dans sa justice peutêtre, a donné l'amour de Consuelo.

Homme étrange et sublime! tu ne le hais pas?

Je ne puis le haïr.

Tu ne troubleras pas son bonheur?

Je travaille ardemment à l'assurer, au contraire, et je ne suis ni sublime ni étrange en ceci. Tu souriras bientôt des éloges que tu me donnes.

Quoi! tu ne souffres même pas?

Je suis le plus heureux des hommes.

En ce cas, tu aimes peu, ou tu n'aimes plus. Un tel héroïsme n'est pas dans la nature humaine; il est presque monstrueux; et je ne puis admirer ce que je ne comprends pas. Attends, comte; tu me railles, et je suis bien simple. Tiens, je devine enfin: tu aimes une autre femme, et tu bénis la Providence qui te délivre de tes engagements envers la première, en la rendant infidèle.

Il faut donc que je t'ouvre mon cœur, tu m'y contrains, baron. Écoute; c'est toute une histoire, tout un roman à te raconter; mais il fait froid ici; ce feu de broussailles ne peut réchauffer ces vieux murs; et, d'ailleurs, je crains qu'à la longue ils ne te rappellent fâcheusement ceux de Glatz. Le temps s'est éclairci, nous pouvons reprendre le chemin du château; et, puisque tu le quittes au point du jour, je ne veux pas trop prolonger ta veillée. Chemin faisant, je te ferai un étrange récit.»

Les deux amis reprirent leurs chapeaux, après en avoir secoué l'humidité; et, donnant quelques coups de pied aux tisons pour les éteindre, ils quittèrent la tour en se tenant par le bras. Leurs voix se perdirent dans l'éloignement, et les échos du vieux manoir cessèrent bientôt de répéter le faible bruit de leurs pas sur l'herbe mouillée du préau.

Consuelo resta plongée dans une étrange stupeur. Ce qui l'étonnait le plus, ce que le témoignage de ses sens avait peine à lui persuader, ce n'était pas la magnanime conduite d'Albert, ni ses sentiments héroïques, mais la facilité miraculeuse avec laquelle il dénouait luimême le terrible problème de la destinée qu'il lui avait faite. Étaitil donc si aisé à Consuelo d'être heureuse? étaitce un amour si légitime que celui de Liverani? Elle croyait avoir rêvé ce qu'elle venait d'entendre. Il lui était déjà permis de s'abandonner à son entraînement pour cet inconnu. Les austères Invisibles en faisaient l'égal d'Albert, par la grandeur d'âme, le courage et la vertu: Albert luimême la justifiait et la défendait contre le blâme de Trenck. Enfin, Albert et les Invisibles, loin de condamner leur mutuelle passion, les abandonnaient à leur libre choix, à leur invincible sympathie: et tout cela sans combat, sans effort, sans cause de regret ou de remords, sans qu'il en coûtât une larme à personne! Consuelo, tremblante d'émotion plus que de froid, redescendit dans la salle voûtée, et ranima de nouveau le feu qu'Albert et Trenck venaient de disperser dans l'âtre. Elle regarda la trace de leurs pieds humides sur les dalles poudreuses. C'était un témoignage de la réalité de leur apparition, que Consuelo avait besoin de consulter pour y croire. Accroupie sous le cintre de la cheminée, comme la rêveuse cendrillon, la protégée des lutins du foyer, elle tomba dans une méditation profonde. Un si facile triomphe sur la destinée ne lui paraissait pas fait pour elle. Cependant aucune crainte ne pouvait prévaloir contre la sérénité merveilleuse d'Albert. C'était là précisément ce que Consuelo pouvait le moins révoquer en doute. Albert ne souffrait pas; son amour ne se révoltait pas contre sa justice. Il accomplissait avec une sorte de joie enthousiaste le plus grand sacrifice qu'il soit au pouvoir de l'homme d'offrir à Dieu. L'étrange vertu de cet homme unique frappait Consuelo de surprise et d'épouvante. Elle se demandait si un tel détachement des faiblesses humaines était conciliable avec les humaines affections. Cette insensibilité apparente ne signalaitelle pas dans Albert une nouvelle phase de délire? Après l'exagération des maux qu'entraînent la mémoire et l'exclusivité du sentiment, ne subissaitil pas une sorte de paralysie du cœur et des souvenirs? Pouvaitil être guéri si vite de son amour, et cet amour étaitil si peu de chose, qu'un simple acte de sa volonté, une seule décision de sa logique, pût en effacer ainsi jusqu'à la moindre trace? Tout en admirant ce triomphe de la philosophie. Consuelo ne put se défendre d'un peu d'humiliation, de voir ainsi détruire d'un souffle cette longue passion dont elle avait été fière à juste titre. Elle repassait les moindres paroles qu'il venait de dire; et l'expression de son visage, lorsqu'il les avait dites, était encore devant ses yeux. C'était une expression que Consuelo ne lui connaissait pas. Albert était aussi changé dans son extérieur que dans ses sentiments. À vrai dire, c'était un homme nouveau; et si le son de sa voix, si le dessin de ses traits, si la réalité de ses discours n'eussent confirmé la vérité, Consuelo eût pu croire qu'elle voyait à sa place ce prétendu Sosie, ce personnage imaginaire de Trismégiste, que le docteur s'obstinait à vouloir lui substituer. La modification que l'état de calme et de santé avait apportée à l'extérieur et aux manières d'Albert semblait confirmer l'erreur de Supperville. Il avait perdu sa maigreur effrayante, et il semblait grandi, tant sa taille affaissée et languissante s'était redressée et rajeunie. Il avait une autre démarche; ses mouvements étaient plus souples, son pas plus ferme, sa tenue aussi élégante et aussi soignée qu'elle avait été abandonnée et, pour ainsi dire, méprisée par lui. Il n'y avait pas jusqu'à ses moindres préoccupations qui n'étonnassent Consuelo. Autrefois, il n'eût pas songé à faire du feu; il eût plaint son ami Trenck d'être mouillé, et il ne se fût pas avisé, tant les objets extérieurs et les soins matériels lui étaient devenus étrangers, de rapprocher les tisons épars sous ses pieds; il n'eût pas secoué son chapeau avant de le remettre sur sa tête; il eût laissé la pluie ruisseler sur sa longue chevelure, et il ne l'eût pas sentie. Enfin, il portait une épée, et jamais, auparavant, il n'eût consenti à manier, même en jouant, cette arme de parade, ce simulacre de haine et de meurtre. Maintenant elle ne gênait point ses mouvements; il en voyait briller la lame devant la flamme, et elle ne lui rappelait point le sang versé par ses aïeux. L'expiation imposée à Jean Ziska, dans sa personne, était un rêve douloureux, qu'un bienfaisant sommeil avait enfin effacé entièrement. Peut être en avaitil perdu le souvenir en perdant les autres souvenirs de sa vie et son amour, qui semblait avoir été, et n'être plus sa vie même.

Il se passa quelque chose d'incertain et d'inexplicable chez Consuelo, quelque chose qui ressemblait à du chagrin, à du regret, à de l'orgueil blessé. Elle se répétait les dernières suppositions de Trenck sur un nouvel amour d'Albert, et cette supposition lui paraissait vraisemblable. Ce nouvel amour pouvait seul lui donner tant de tolérance et de miséricorde. Ses dernières paroles en emmenant son ami, et en lui promettant un récit, un roman, n'étaientelles pas la confirmation de ce doute, l'aveu et l'explication de cette joie discrète et profonde dont il paraissait rempli? «Oui, ses yeux brillaient d'un éclat que je ne leur ai jamais vu, pensa Consuelo. Son sourire avait une expression de triomphe, d'ivresse; et il souriait, il riait presque, lui à qui le rire semblait inconnu jadis; il y a eu même comme de l'ironie dans sa voix quand il a dit au baron: «Bientôt tu souriras aussi des éloges que tu me donnes.» Plus de doute, il aime, et ce n'est plus moi. Il ne s'en défend pas, et il ne songe point à se combattre; il bénit mon infidélité, il m'y pousse, il s'en réjouit, il n'en rougit point pour moi; il m'abandonne à une faiblesse dont je rougirai seule, et dont toute la honte retombera sur ma tête. Ô ciel! Je n'étais pas seule coupable, et Albert l'était plus encore! Hélas! pourquoi aije surpris le secret d'une générosité que j'aurais tant admirée, et que je n'eusse jamais voulu accepter? Je le sens bien, maintenant il y a quelque chose de saint dans la foi jurée; Dieu seul qui change notre cœur, peut nous en délier. Alors les êtres unis par un serment peuvent peutêtre s'offrir et accepter le sacrifice de leurs droits. Mais quand l'inconstance mutuelle préside seule au divorce, il se fait quelque chose d'affreux, et comme une complicité de parricide entre ces deux êtres: ils ont froidement tué dans leur sein l'amour qui les unissait.»

Consuelo regagna les bois aux premières lueurs du matin. Elle avait passé toute la nuit dans la tour, absorbée par mille pensées sombres et chagrines. Elle n'eut pas de peine à retrouver le chemin de sa demeure, quoiqu'elle eût fait ce chemin dans les ténèbres, et que l'empressement de sa fuite le lui eût fait paraître moins long qu'il ne le fut au retour. Elle descendit la colline et remonta le cours du ruisseau jusqu'à la grille, qu'elle franchit adroitement, en marchant sur la bande transversale qui reliait les barreaux par en bas à fleur d'eau. Elle n'était plus ni craintive ni agitée. Peu lui importait d'être aperçue, décidée qu'elle était à tout raconter naïvement à son confesseur. D'ailleurs le sentiment de sa vie passée l'occupait tellement, que les choses présentes ne lui offraient plus qu'un intérêt secondaire. C'est à peine si Liverani existait pour elle. Le cœur humain est ainsi fait: l'amour naissant a besoin de dangers et d'obstacles, l'amour éteint se ranime quand il ne dépend plus de nous de le réveiller dans le cœur d'autrui.

Cette fois les Invisibles surveillants de Consuelo semblèrent s'être endormis, et sa promenade nocturne ne parut avoir été remarquée de personne. Elle trouva une nouvelle lettre de l'inconnu dans son clavecin, aussi tendrement respectueuse que celle de la veille était hardie et passionnée. Il se plaignait qu'elle eût eu peur de lui, il lui reprochait de s'être retranchée dans ses appartements comme si elle eût douté de sa craintive vénération. Il demandait humblement qu'elle lui permît de l'apercevoir seulement dans le jardin au crépuscule; il lui promettait de ne point lui parler, de ne pas se montrer si elle l'exigeait. «Soit détachement de cœur, soit arrêt de la conscience, ajoutait-il, Albert renonce à toi, tranquillement, froidement même en apparence. Le devoir parle plus haut que l'amour dans son cœur. Dans peu de jours les Invisibles te signifieront sa résolution, et prononceront le signal de ta liberté. Tu pourras alors rester ici pour te faire initier à leurs mystères, si tu persistes dans cette intention généreuse, et jusque-là je leur tiendrai mon serment, de ne point me montrer à tes yeux. Mais si tu n'as fait cette promesse que par compassion pour moi, si tu désires t'en affranchir, parle, et je romps tous mes engagements, et je fuis avec toi. Je ne suis pas Albert, moi: j'ai plus d'amour que de vertu. Choisis!»

«Oui, cela est certain, dit Consuelo en laissant retomber la lettre de l'inconnu sur les touches de son clavecin: celui-ci m'aime et Albert ne m'aime pas. Il est possible qu'il ne m'ait jamais aimée, et que mon image n'ait été qu'une création de son délire. Pourtant cet amour me paraissait sublime, et plût au ciel qu'il le fût encore assez pour conquérir le mien par un pénible et sublime sacrifice! cela vaudrait mieux pour nous deux que le détachement tranquille de deux âmes adultères. Mieux vaudrait aussi pour Liverani d'être abandonné de moi avec effort et déchirement que d'être accueilli comme une nécessité de mon isolement, dans un jour d'indignation, de honte et de douloureuse ivresse!»

Elle répondit à Liverani ce peu de mots:

«Je suis trop fière et trop sincère pour vous tromper. Je sais ce que pense Albert, ce qu'il a résolu. J'ai surpris le secret de ses confidences à un ami commun. Il m'abandonne sans regret, et ce n'est pas la vertu seule qui triomphe de son amour. Je ne suivrai pas l'exemple qu'il me donne. Je vous aimais, et je renonce à vous sans en aimer un autre. Je dois ce sacrifice à ma dignité, à ma conscience. J'espère que vous ne vous approcherez plus de ma demeure. Si vous cédiez à une aveugle passion, et si vous m'arrachiez quelque nouvel aveu, vous vous en repentiriez. Vous devriez peut-être ma confiance à la juste colère d'un cœur brisé et à l'effroi d'une âme délaissée. Ce serait mon supplice et le vôtre. Si vous persistez, Liverani, vous n'avez pas en vous l'amour que j'avais rêvé.»

Liverani persista cependant; il écrivit encore, et fut éloquent, persuasif, sincère dans son humilité. «Vous faites un appel à ma fierté, disait-il, et je n'ai pas de fierté avec vous. Si vous regrettiez un absent dans mes bras, j'en souffrirais sans en être offensé. Je vous demanderais, prosterné et en arrosant vos pieds de mes larmes, de l'oublier et de vous fier à moi seul. De quelque façon que vous m'aimiez, et si peu que ce soit, j'en serai reconnaissant comme d'un immense bonheur.» Telle fut la substance d'une suite de lettres ardentes et craintives, soumises et persévérantes. Consuelo sentit s'évanouir sa fierté au charme pénétrant d'un véritable amour. Insensiblement elle s'habitua à l'idée qu'elle n'avait encore jamais été aimée auparavant, pas même par le comte de Rudolstadt. Repoussant alors le dépit involontaire qu'elle avait conçu de cet outrage fait à la sainteté de ses souvenirs, elle craignit, en le manifestant, de devenir un obstacle au bonheur qu'Albert pouvait se promettre d'un nouvel amour. Elle résolut donc d'accepter en silence l'arrêt de séparation dont il paraissait vouloir charger le tribunal des Invisibles, et elle s'abstint de tracer son nom dans les réponses qu'elle fit à l'inconnu, en lui ordonnant d'imiter cette réserve.

Au reste, ces réponses furent pleines de prudence et de délicatesse. Consuelo en se détachant d'Albert et en accueillant dans son âme la pensée d'une autre affection, ne voulait pas céder à un enivrement aveugle. Elle défendit à l'inconnu de paraître devant elle et de manquer à son vœu de silence, jusqu'à ce que les Invisibles l'en eussent relevé. Elle lui déclara que c'était librement et volontairement qu'elle voulait adhérer à cette association mystérieuse qui lui inspirait à la fois respect et confiance: qu'elle était résolue à faire les études nécessaires pour s'instruire dans leur doctrine, et à se défendre de toute préoccupation personnelle jusqu'à ce qu'elle eût acquis, par un peu de vertu, le droit de penser à son propre bonheur. Elle n'eut pas la force de lui dire qu'elle ne l'aimait pas; mais elle eut celle de lui dire qu'elle ne voulait pas l'aimer sans réflexion.

Liverani parut se soumettre, et Consuelo étudia attentivement plusieurs volumes que Matteus lui avait remis un matin de la part du prince, en lui disant que Son Altesse et sa cour avaient quitté la résidence, mais qu'elle aurait bientôt des nouvelles. Elle se contenta de ce message, n'adressa aucune question à Matteus, et lut l'histoire des mystères de l'antiquité, du christianisme et des diverses sectes et sociétés secrètes qui en dérivent; compilation manuscrite fort savante, faite dans la bibliothèque de l'ordre des Invisibles par quelque adepte patient et consciencieux. Cette lecture sérieuse, et pénible d'abord, s'empara peu à peu de son attention, et même de son imagination. Le tableau des épreuves des anciens temples égyptiens lui fit faire beaucoup de rêves terribles et poétiques. Le récit des persécutions des sectes du moyen âge et de la renaissance émut son cœur plus que jamais, et cette histoire de l'enthousiasme disposa son âme au fanatisme religieux d'une initiation prochaine. Pendant quinze jours, elle ne reçut aucun avis du dehors et vécut dans la retraite, environnée des soins mystérieux du chevalier, mais ferme dans sa résolution de ne point le voir, et de ne pas lui donner trop d'espérances.

Les chaleurs de l'été commençaient à se faire sentir, et Consuelo, absorbée d'ailleurs par ses études, n'avait pour se reposer et respirer à l'aise que les heures fraîches de la soirée.

Peu à peu elle avait repris ses promenades lentes et rêveuses dans le jardin, l'enclos. Elle s'y croyait seule et pourtant je ne sais quelle vague émotion lui faisait rêver parfois la présence de l'inconnu non loin d'elle. Ces belles nuits, ces beaux ombrages, cette solitude, ce murmure languissant de l'eau courante à travers les fleurs, le parfum des plantes, la voix passionnée du rossignol, suivie de silences plus voluptueux encore; la lune jetant de grandes lueurs obliques sous l'ombre transparente des berceaux embaumés, le coucher de Vesper derrière les nuages roses de l'horizon, que saisje? toutes les émotions classiques, mais éternellement fraîches et puissantes de la jeunesse et de l'amour, plongeaient l'âme de Consuelo dans de dangereuses rêveries; son ombre svelte sur le sable argenté des allées, le vol d'un oiseau réveillé par son approche, le bruit d'une feuille agitée par la brise, c'en était assez pour la faire tressaillir et doubler le pas; mais ces légères frayeurs étaient à peine dissipées qu'elles étaient remplacées par un indéfinissable regret, et les palpitations de l'attente étaient plus fortes que toutes les suggestions de la volonté.

Une fois elle fut troublée plus que de coutume par le frôlement du feuillage et les bruits incertains de la nuit. Il lui sembla qu'on marchait non loin d'elle, qu'on fuyait à son approche, qu'on s'approchait lorsqu'elle était assise. Son agitation l'avertissait plus encore: elle se sentit sans force contre une rencontre dans ces beaux lieux et sous ce ciel magnifique. Les bouffées de la brise passaient brûlantes sur son front. Elle s'enfuit vers le pavillon et s'enferma dans sa chambre. Les flambeaux n'étaient pas allumés. Elle se cacha derrière une jalousie et désira ardemment de voir celui dont elle ne voulait pas être vue. Elle vit en effet paraître un homme qui marcha lentement sous ses fenêtres sans appeler, sans faire un geste, soumis et satisfait en apparence de regarder les murs qu'elle habitait. Cet homme, c'était bien l'inconnu, du moins Consuelo le sentit d'abord à son trouble, et crut reconnaître sa stature et sa démarche. Mais bientôt d'étranges doutes et des craintes pénibles s'emparèrent de son esprit. Ce promeneur silencieux lui rappelait Albert au moins autant que Liverani. Ils étaient de la même taille; et maintenant qu'Albert, transformé par une santé nouvelle, marchait avec aisance et ne tenait plus sa tête penchée sur son sein ou appuyée sur sa main, dans une attitude chagrine ou maladive, Consuelo ne connaissait guère plus son aspect extérieur que celui du chevalier. Elle avait vu celuici un instant au grand jour, marchant devant elle à distance et enveloppé des plis d'un manteau. Elle avait vu Albert peu d'instants aussi dans la tour déserte, depuis qu'il était si différent de ce qu'elle le connaissait; et maintenant elle voyait l'un ou l'autre trèsvaguement, à la clarté des étoiles; et chaque fois qu'elle se croyait sur le point de fixer ses doutes, il passait sous l'ombre des arbres et s'y perdait comme une ombre luimême. Il disparut enfin tout à fait, et Consuelo resta partagée entre la joie et la crainte, se reprochant d'avoir manqué de courage pour appeler Albert à tout hasard, afin de provoquer une explication sincère et loyale entre eux.

Ce repentir devint plus vif à mesure qu'il s'éloignait, et en même temps la persuasion que c'était lui, en effet, qu'elle venait de voir. Entraînée par cette habitude de dévouement qui lui avait toujours tenu lieu d'amour pour lui, elle se dit que s'il venait ainsi errer autour d'elle, c'était dans l'espérance timide de l'entretenir. Ce n'était pas la première fois qu'il le tentait; il l'avait dit à Trenck un soir où peut-être il s'était croisé dans l'obscurité avec Liverani. Consuelo résolut de provoquer cette explication nécessaire. Sa conscience lui faisait un devoir d'éclaircir ses doutes sur les véritables dispositions de son époux, généreux ou volage. Elle redescendit au jardin et courut après lui, tremblante et pourtant courageuse; mais elle avait perdu sa trace, et elle parcourut tout l'enclos sans le rencontrer.

Enfin elle vit tout à coup, au sortir d'un bosquet, un homme debout an bord de l'eau. Étaitce bien le même qu'elle cherchait? Elle l'appela du nom d'Albert; il tressaillit, passa ses mains sur son visage, et lorsqu'il se retourna, le masque noir couvrait déjà ses traits.

«Albert, estce vous? s'écria Consuelo; c'est vous, vous seul que je cherche.»

Une exclamation étouffée trahit chez cet inconnu je ne sais quelle émotion de joie ou de douleur, il sembla vouloir fuir; Consuelo avait cru reconnaître la voix d'Albert, elle s'élança et le retint par son manteau. Mais elle s'arrêta, le manteau en s'écartant avait laissé voir sur la poitrine de l'inconnu une assez large croix d'argent que Consuelo connaissait trop bien: c'était celle de sa mère, la même qu'elle avait confiée au chevalier durant ton voyage avec lui, comme un gage de reconnaissance et de sympathie.

«Liverani! ditelle, toujours vous! Puisque c'est vous, adieu! pourquoi m'avezvous désobéi?»

Il se jeta à ses pieds, l'entoura de ses bras et lui prodigua d'ardentes et respectueuses étreintes que Consuelo n'eut plus la force de repousser.

«Si vous m'aimez et si vous voulez que je vous aime, laissezmoi, lui ditelle. C'est devant les Invisibles que je veux vous voir et vous entendre. Votre masque m'effraie, votre silence me glace le cœur.»

Liverani porta la main à son masque, il allait l'arracher et parler. Consuelo, comme la curieuse Psyché, n'avait plus le courage de fermer les yeux... mais tout à coup le voile noir des messagers du tribunal secret tomba sur sa tête. La main de l'inconnu qui avait saisi la sienne avec précipitation fut détachée en silence. Consuelo se sentit entraînée sans violence et sans courroux apparent, mais avec rapidité. On l'enleva de terre, elle sentit fléchir sous ses pieds le plancher d'une barque. Elle descendit le ruisseau longtemps sans que personne lui adressât la parole, et lorsqu'on lui rendit la lumière elle se trouva dans la salle souterraine où elle avait comparu pour la première fois devant le tribunal des Invisibles.

Ils étaient là tous les sept comme la première fois, masqués, muets, impénétrables comme des fantômes. Le huitième personnage, qui avait alors adressé la parole à Consuelo et qui semblait être l'interprète du conseil et l'initiateur des adeptes lui parla en ces termes:

«Consuelo, tu as subi déjà des épreuves dont tu es sortie à ta gloire et à notre satisfaction. Nous pouvons t'accorder notre confiance et nous allons te le prouver.

Attendez, dit Consuelo; vous me croyez sans reproche, et je ne le suis pas. Je vous ai désobéi, je suis sortie de la retraite que vous m'aviez assignée.

Par curiosité?

Non.

Peux-tu dire ce que tu as appris?

Ce que j'ai appris m'est tout personnel; j'ai parmi vous un confesseur à qui je puis et veux le révéler.»

Le vieillard que Consuelo invoquait se leva et dit:

«Je sais tout. La faute de cette enfant est légère. Elle ne sait rien de ce que vous voulez qu'elle ignore. La confidence de ses émotions sera entre elle et moi. En attendant mettez l'heure à profit: que ce qu'elle doit savoir lui soit révélé sans retard. Je me porte garant pour elle en toutes choses.»

L'initiateur reprit la parole après s'être retourné vers le tribunal et en avoir reçu un signe d'adhésion.

«Écoute-moi bien, lui dit-il, je te parle au nom de ceux que tu vois ici rassemblés. C'est leur esprit et pour ainsi dire leur souffle qui m'inspire. C'est leur doctrine que je vais t'exposer.

«Le caractère distinctif des religions de l'antiquité est d'avoir deux faces, une extérieure et publique, une interne et secrète. L'une est l'esprit, l'autre la forme ou la lettre. Derrière le symbole matériel et grossier, le sens profond, l'idée sublime. L'Égypte et l'Inde, grands types des antiques religions, mères des pures doctrines, offrent au plus haut point cette dualité d'aspect, signe nécessaire et fatal de l'enfance des sociétés, et des misères attachées au développement du génie de l'homme. Tu as appris récemment en quoi consistaient les grands mystères de Memphis et d'Eleusis, et tu sais maintenant pourquoi la science divine, politique et sociale, concentrée avec le triple pouvoir religieux, militaire et industriel dans les mains des hiérophantes, ne descendit pas jusqu'aux classes infimes de ces antiques sociétés. L'idée chrétienne, enveloppée, dans la parole du révélateur, de symboles plus transparents et plus purs, vint au monde pour faire descendre dans les âmes populaires la connaissance de la vérité et la lumière de la foi. Mais la théocratie, abus inévitable des religions qui se constituent dans le trouble et les périls, vint bientôt s'efforcer de voiler encore une fois le dogme, et, en le voilant, elle l'altéra. L'idolâtrie reparut avec les mystères, et, dans le pénible développement du christianisme on vit les hiérophantes de la Rome apostolique perdre, par un châtiment divin, la lumière divine, et retomber dans les ténèbres où ils voulaient plonger les hommes. Le développement de l'intelligence humaine s'opéra dès lors dans un sens tout contraire à la marche du passé. Le temple ne fut plus, comme dans l'antiquité, le sanctuaire de la vérité. La superstition et l'ignorance, le symbole grossier, la lettre morte, siégèrent sur les autels et sur les trônes. L'esprit descendit enfin dans les classes trop longtemps avilies. De pauvres moines, d'obscurs docteurs, d'humbles pénitents, vertueux apôtres du christianisme primitif, firent de la religion secrète et persécutée l'asile de la vérité inconnue. Ils s'efforcèrent d'initier le peuple à la religion de l'égalité, et, au nom de saint Jean, ils prêchèrent un nouvel évangile, c'estàdire un interprétation plus libre, plus hardie et plus pure de la révélation chrétienne. Tu sais l'histoire de leurs travaux, de leurs combats et de leurs martyres, tu sais les souffrances des peuples, leurs ardentes inspirations, leurs élans terribles, leurs déplorables affaissements, leurs réveils orageux; et, à travers tant d'efforts tour à tour effroyables et sublimes, leur héroïque persévérance a fuir les ténèbres et à trouver les voies de Dieu. Le temps est proche où le voile du temple sera déchiré pour jamais, et où la foule emportera d'assaut les sanctuaires de l'arche sainte. Alors les symboles disparaîtront, et les abords de la vérité ne seront plus gardés par les dragons du despotisme religieux et monarchique. Tout homme pourra marcher dans le chemin de la lumière et se rapprocher de Dieu de toute la puissance de son âme. Nul ne dira plus à son frère: «Ignore et abaissetoi. Ferme les yeux et reçois le joug.» Tout homme pourra, au contraire, demander à son semblable le secours de son œil, de son cœur et de son bras pour pénétrer dans les arcanes de la science sacrée. Mais ce temps n'est pas encore venu, et nous n'en saluons aujourd'hui que l'aube tremblante à l'horizon. Le temps de la religion secrète dure toujours, la tâche du mystère n'est pas accomplie. Nous voici encore enfermés dans le temple, occupés à forger des armes pour écarter les ennemis qui s'interposent entre les peuples et nous, et forcés de tenir encore nos portes fermées et nos paroles secrètes pour qu'on ne vienne pas arracher de nos mains l'arche sainte, sauvée avec tant de peine et réservée à la communauté des hommes.

«Te voilà donc accueillie dans le nouveau temple: mais ce temple est encore une forteresse qui tient depuis des siècles pour la liberté sans pouvoir la conquérir. La guerre est autour de nous. Nous voulons être des libérateurs, nous ne sommes encore que des combattants. Tu viens ici pour recevoir la communion fraternelle, l'étendard du salut, le signe de la liberté, et pour périr peutêtre sur la brèche au milieu de nous. Voilà la destinée que tu as acceptée; tu succomberas peutêtre sans avoir vu flotter sur ta tête le gage de la victoire. C'est encore au nom de saint Jean que nous appelons les hommes à la croisade. C'est encore un symbole que nous invoquons; nous sommes les héritiers des Johannites d'autrefois, les continuateurs ignorés, mystérieux et persévérants de Wickleff, de Jean Huss et de Luther; nous voulons, comme ils le voulaient, affranchir le genre humain; mais, comme eux, nous ne sommes pas libres nousmêmes, et comme eux, nous marchons peutêtre au supplice.

«Cependant le combat a changé de terrain, et les armes de nature. Nous bravons encore la rigueur ombrageuse des lois, nous nous exposons encore à la proscription, à la misère, à la captivité, à la mort, car les moyens de la tyrannie sont toujours les mêmes: mais nos moyens, à nous, ne sont plus l'appel à la révolte matérielle, et la prédication sanglante de la croix et du glaive. Notre guerre est toute intellectuelle comme notre mission. Nous nous adressons à l'esprit. Nous agissons par l'esprit. Ce n'est pas à main armée que nous pouvons renverser des gouvernements, aujourd'hui organisés et appuyés sur tous les moyens de la force brutale. Nous leur faisons une guerre plus lente, plus sourde et plus profonde, nous les attaquons au cœur. Nous ébranlons leurs bases en détruisant la foi aveugle et le respect idolâtrique qu'ils cherchent à inspirer. Nous faisons pénétrer partout, et jusque dans les cours, et même jusque dans l'esprit troublé et fasciné des princes et des rois, ce que personne n'ose déjà plus appeler le poison de la philosophie; nous détruisons tous les prestiges; nous lançons du haut de notre forteresse, tous les boulets rouges de l'ardente vérité et de l'implacable raison sur les autels et sur les trônes. Nous vaincrons, n'en doute pas. Dans combien d'années, dans combien de jours? nous l'ignorons. Mais notre entreprise date de si loin, elle a été conduite avec tant de foi, étouffée avec si peu de succès, reprise avec tant d'ardeur, poursuivie avec tant de passion, qu'elle ne peut pas échouer; elle est devenue immortelle de sa nature comme les biens immortels dont elle a résolu la conquête. Nos ancêtres l'ont commencée, et chaque génération a rêvé de la finir. Si nous ne l'espérions pas un peu aussi nousmêmes, peutêtre notre zèle seraitil moins fervent et moins efficace; mais si l'esprit de doute et d'ironie, qui domine le monde à cette heure, venait à nous prouver, par ses froids calculs et ses raisonnements accablants, que nous poursuivons un rêve, réalisable seulement dans plusieurs siècles, notre conviction dans la sainteté de notre cause n'en serait point ébranlée; et pour travailler avec un peu plus d'effort et de douleur, nous n'en travaillerions pas moins pour les hommes de l'avenir. C'est qu'il y a entre nous et les hommes du passé, et les générations à naître, un lien religieux si étroit et si ferme, que nous avons presque étouffé en nous le côté égoïste et personnel de l'individualité humaine. C'est ce que le vulgaire ne saurait comprendre, et pourtant il y a dans l'orgueil de la noblesse quelquechose qui ressemble à notre religieux enthousiasme héréditaire. Chez les grands, on fait beaucoup de sacrifices à la gloire, afin d'être digne de ses aïeux, et de léguer beaucoup d'honneur à sa postérité. Chez nous autres, architectes du temple de la vérité, on fait beaucoup de sacrifices à la vertu, afin de continuer l'édifice des maîtres et de former de laborieux apprentis. Nous vivons par l'esprit et par le cœur dans le passé, dans l'avenir et dans le présent tout a la fois. Nos prédécesseurs et nos successeurs sont aussi bien nous que nousmêmes. Nous croyons à la transmission de la vie, des sentiments, des généreux instincts dans les âmes, comme les patriciens croient à celles d'une excellence de race dans leurs veines. Nous allons plus loin encore; nous croyons à la transmission de la vie, de l'individualité, de l'âme et de la personne humaine. Nous nous sentons fatalement et providentiellement appelés à continuer l'œuvre que nous avons déjà rêvée, toujours poursuivie et avancée de siècle en siècle. Parmi nous il en est même quelquesuns qui ont poussé la contemplation du passé et de l'avenir au point de perdre presque la notion du présent; c'est la fièvre sublime, c'est l'extase de nos croyants et de nos saints: car nous avons nos saints, nos prophètes, peutêtre aussi nos exaltés et nos visionnaires; mais quel que soit l'égarement ou la sublimité de leur transport, nous respectons leur inspiration, et parmi nous, Albert l'extatique et le voyant n'a trouvé que des frères pleins de sympathie pour ses douleurs et d'admiration pour ses enthousiasmes. Nous avons foi aussi à la conviction du comte de SaintGermain, réputé imposteur ou aliéné dans le monde. Quoique ses réminiscences d'un passé inaccessible à la mémoire humaine aient un caractère plus calme, plus précis et plus inconcevable encore que les extases d'Albert, elles ont aussi un caractère de bonne foi et une lucidité dont il nous est impossible de nous railler. Nous comptons parmi nous beaucoup d'autres exaltés, des mystiques, des poètes, des hommes du peuple, des philosophes, des artistes, d'ardents sectaires groupés sous les bannières de divers chefs; des bœhmistes, des théosophes, des moraves, des hernuters, des quakers, même des panthéistes, des pythagoriciens, des xérophagistes, des illuminés, des johannites, des templiers, des millénaires, des joachimites, etc. Toutes ces sectes anciennes, pour n'avoir plus le développement qu'elles eurent aux époques de leur éclosion, n'en sont pas moins existantes, et même assez peu modifiées. Le propre de notre époque est de reproduire à la fois toutes les formes que le génie novateur ou réformateur a données tour à tour dans les siècles passés à la pensée religieuse et philosophique. Nous recrutons donc nos adeptes dans ces divers groupes sans exiger une identité de préceptes absolue, et impossible dans le temps où nous vivons. Il nous suffit de trouver en eux l'ardeur de la destruction pour les appeler dans nos rangs: toute notre science organisatrice consiste à ne choisir les constructeurs que parmi des esprits supérieurs aux disputes d'école, chez qui la passion de la vérité, la soif de la justice et l'instinct du beau moral l'emportent sur les habitudes de famille et les rivalités de secte. Il n'est d'ailleurs pas si difficile qu'on le croit de faire travailler de concert des éléments très dissemblables; ces dissemblances sont plus apparentes que réelles. Au fond, tous les hérétiques (c'est avec respect que j'emploie ce nom) sont d'accord sur le point principal, celui de détruire la tyrannie intellectuelle et matérielle, ou tout au moins de protester contre. Les antagonismes qui ont retardé jusqu ici la fusion de toutes ces généreuses et utiles résistances viennent de l'amourpropre et de la jalousie, vices inhérents à la condition humaine, contrepoids fatal et inévitable de tout progrès dans l'humanité. En ménageant ces susceptibilités, en permettant à chaque communion de garder ses maîtres, ses institutions et ses rites, on peut constituer, sinon une société, du moins une armée, et, je te l'ai dit, nous ne sommes encore qu'une armée marchant à la conquête d'une terre promise, d'une société idéale. Au point où en est encore la nature humaine, il y a tant de nuances de caractères chez les individus, tant de degrés différents dans la conception du vrai, tant d'aspects variés, ingénieuses manifestations de la riche nature qui créa le génie humain, qu'il est absolument nécessaire de laisser à chacun les conditions de sa vie morale et les éléments de sa force d'action.

«Notre œuvre est grande, notre tâche est immense. Nous ne voulons pas fonder seulement un empire universel sur un ordre nouveau et sur des bases équitables; c'est une religion que nous voulons reconstituer. Nous sentons bien d'ailleurs que l'un est impossible sans l'autre. Aussi avonsnous deux modes d'action. Un tout matériel, pour miner et faire crouler l'ancien monde par la critique, par l'examen, par la raillerie même, par le voltairianisme et tout ce qui s'y rattache. Le redoutable concours de toutes les volontés hardies et de toutes les passions fortes précipite notre marche dans ce senslà. Notre autre mode d'action est tout spirituel: il s'agit d'édifier la religion de l'avenir. L'élite des intelligences et des vertus nous assiste dans ce labeur incessant de notre pensée. L'œuvre des Invisibles est un concile que la persécution du monde officiel empêche de se réunir publiquement, mais qui délibère sans relâche et qui travaille sous la même inspiration de tous les points du monde civilisé. Des communications mystérieuses apportent le grain dans l'aire à mesure qu'il mûrit, et le sèment dans le champ de l'humanité à mesure que nous le détachons de l'épi. C'est à ce dernier travail souterrain que tu peux t'associer; nous te dirons comment quand tu l'auras accepté.

Je l'accepte, répondit Consuelo d'une voix ferme, et en étendant le bras en signe de serment.

Ne te hâte point de promettre, femme aux instincts généreux, à l'âme entreprenante. Tu n'as peutêtre pas toutes les vertus que réclamerait une telle mission. Tu as traversé le monde; tu y as déjà puisé les notions de la prudence, de ce qu'on appelle le savoirvivre, la discrétion, l'esprit de conduite.

Je ne m'en flatte pas, répondit Consuelo, en souriant avec une fierté modeste.

Eh bien, tu y as appris du moins à douter, à discuter, à railler, à suspecter.

À douter, peut-être. Ôte-moi le doute qui n'était pas dans ma nature, et qui m'a fait souffrir; je vous bénirai. Ôte-moi surtout le doute de moi-même, qui me frapperait d'impuissance.

Nous ne t'ôterons le doute qu'en te développant nos principes. Quant à te donner des garanties matérielles de notre sincérité et de notre puissance, nous ne le ferons pas plus que nous ne l'avons fait jusqu'ici. Que les services rendus te suffisent, nous t'assisterons toujours dans l'occasion: mais nous ne t'associerons aux mystères de notre pensée et de nos actions que selon la part d'action que nous te donnerons à toi-même. Tu ne nous connaîtras point. Tu ne verras jamais nos traits. Tu ne sauras jamais nos noms, à moins qu'un grand intérêt de la cause ne nous force en enfreindre la loi qui nous rend inconnus et invisibles à nos disciples. Peux-tu te soumettre et te fier aveuglément à des hommes qui ne seront jamais pour toi que des êtres abstraits, des idées vivantes, des appuis et des conseils mystérieux?

Une vaine curiosité pourrait seule me pousser à vouloir vous connaître autrement. J'espère que ce sentiment puéril n'entrera jamais en moi.

Il ne s'agit point de curiosité, il s'agit de méfiance. La tienne serait fondée selon la logique et la prudence du monde. Un homme répond de ses actions; son nom est une garantie ou un avertissement; sa réputation appuie ou dément ses actes ou ses projets. Songes-tu bien que tu ne pourras jamais comparer la conduite d'aucun de nous en particulier avec les préceptes de l'ordre? Tu devras croire en nous comme à des saints, sans savoir si nous ne sommes pas des hypocrites. Tu devras même peut-être voir émaner de nos décisions des injustices, des perfidies, des cruautés apparentes. Tu ne pourras pas plus contrôler nos démarches que nos intentions. Auras-tu assez de foi pour marcher les yeux fermés sur le bord d'un abîme?

Dans la pratique du catholicisme, j'ai fait ainsi dans mon enfance, répandit Consuelo après un instant de réflexion. J'ai ouvert mon cœur et abandonné la direction de ma conscience à un prêtre dont je ne voyais pas les traits derrière le voile du confessionnal, et dont je ne savais ni le nom ni la vie. Je ne voyais en lui que le sacerdoce, l'homme ne m'était rien. J'obéissais au Christ, je ne m'inquiétais pas du ministère. Pensez-vous que cela soit bien difficile?

Lève donc la main à présent, si tu persistes.

Attendez, dit Consuelo. Votre réponse déciderait de ma vie; mais me permettez-vous de vous interroger une seule, une première et dernière fois?

Tu le vois! déjà tu hésites, déjà tu cherches des garanties ailleurs que dans ton inspiration spontanée et dans l'élan de ton cœur vers l'idée que nous représentons. Parle cependant. La question que tu veux nous faire nous éclairera sur tes dispositions.

La voici. Albert est-il initié à tous vos secrets?

Oui.

Sans restriction aucune?

Sans restriction aucune.

Et il marche avec vous?

Dis plutôt que nous marchons avec lui. Il est une des lumières de notre conseil, la plus pure, la plus divine peut-être.

Que ne me disiez-vous cela d'abord? je n'eusse pas hésité un instant. Conduisez-moi où vous voudrez, disposez de ma vie. Je suis à vous, et je le jure.

Tu étends la main! mais sur quoi jures-tu?

Sur le Christ dont je vois l'image ici.

Qu'est-ce que le Christ?

C'est la pensée divine, révélée à l'humanité.

Cette pensée est-elle tout entière dans la lettre de l'Évangile?

Je ne le crois pas; mais je crois qu'elle est tout entière dans son esprit.

Nous sommes satisfaits de tes réponses, et nous acceptons le serment que tu viens de faire. A présent, nous allons t'instruire de tes devoirs envers Dieu et envers nous. Apprends donc d'avance les trois mots qui sont tout le secret de nos mystères, et qu'on ne révèle à beaucoup d'affiliés qu'avec tant de lenteurs et de précautions. Tu n'as pas besoin d'un long apprentissage; et cependant, il te faudra quelques réflexions pour en comprendre toute la portée. Liberté, fraternité, égalité: voilà la formule mystérieuse et profonde de l'œuvre des Invisibles.

Estce là, en effet, tout le mystère?

Il ne le semble pas que c'en soit un; mais examine l'état des sociétés, et tu verras que, pour des hommes habitués à être régis par le despotisme, l'inégalité, l'antagonisme, c'est toute une éducation, toute une conversion, toute une révélation, que d'arriver à comprendre nettement la possibilité humaine, la nécessité sociale et l'obligation morale de ce triple précepte: liberté, égalité, fraternité. Le petit nombre d'esprits droits et de cœurs purs qui protestent naturellement contre l'injustice et le désordre des tyrannies saisissent, dès le premier pas, la doctrine secrète. Leurs progrès y sont rapides; car il ne s'agit plus, avec eux, que de leur enseigner les procédés d'application que nous avons trouvés. Mais, pour le grand nombre, avec les gens du monde, les courtisans et les puissants, imagine ce qu'il faut de précautions et de ménagements pour livrer à leur examen la formule sacrée de l'œuvre immortelle. Il faut s'environner de symboles et de détours; il faut leur persuader qu'il ne s'agit que d'une liberté fictive et restreinte à l'exercice de la pensée individuelle; d'une égalité relative, étendue seulement aux membres de l'association, et praticable seulement dans ses réunions secrètes et bénévoles; enfin, d'une fraternité romanesque, consentie entre un certain nombre de personnes et bornée à des services passagers, à quelques bonnes œuvres, à des secours mutuels. Pour ces esclaves de la coutume et du préjugé, nos mystères ne sont que les statuts d'ordres héroïques, renouvelés de l'ancienne chevalerie, et ne portant nulle atteinte aux pouvoirs constitués, nul remède aux misères des peuples. Pour ceuxlà, il n'y a que des grades insignifiants, des degrés de science frivole ou d'ancienneté banale, une série d'initiations dont les rites bizarres amusent leur curiosité sans éclairer leurs esprits. Ils croient tout savoir et ne savent rien.

À quoi serventils? dit Consuelo, qui écoutait attentivement.

À protéger l'exercice et la liberté du travail de ceux qui comprennent et qui savent, répondit l'initiateur. Ceci te sera expliqué. Écoute d'abord ce que nous attendons de toi.

«L'Europe (l'Allemagne et la France principalement) est remplie de sociétés secrètes, laboratoires souterrains où se prépare une grande révolution, dont le cratère sera l'Allemagne ou la France. Nous avons la clef, et nous tentons d'avoir la direction, de toutes ces associations, à l'insu de la plus grande partie de leurs membres, et à l'insu les unes des autres. Quoique notre but ne soit pas encore atteint, nous avons réussi à mettre le pied partout, et les plus éminents, parmi ces divers affiliés, sont à nous et secondent nos efforts. Nous te ferons entrer dans tous ces sanctuaires sacrés, dans tous ces temples profanes, car la corruption ou la frivolité ont bâti aussi leurs cités; et, dans quelquesunes, le vice et la vertu travaillent au même œuvre de destruction, sans que le mal comprenne son association avec le bien. Telle est la loi des conspirations. Tu sauras le secret des francsmaçons, grande confrérie qui, sous les formes les plus variées, et avec les idées les plus diverses, travaille à organiser la pratique et à répandre la notion de l'égalité. Tu recevras les degrés de tous les rites, quoique les femmes n'y soient admises qu'à titre d'adoption, et qu'elles ne participent pas à tous les secrets de la doctrine. Nous te traiterons comme un homme; nous te donnerons tous les insignes, tous les titres, toutes les formules nécessaires aux relations que nous te ferons établir avec les loges, et aux négociations dont nous te chargerons avec elles. Ta profession, ton existence voyageuse, tes talents, le prestige de ton sexe, de ta jeunesse et de ta beauté, tes vertus, ton courage, ta droiture et ta discrétion te rendent propre à ce rôle et nous donnent les garanties nécessaires. Ta vie passée, dont nous connaissons les moindres détails, nous est un gage suffisant. Tu as subi volontairement plus d'épreuves que les mystères maçonniques n'en sauraient inventer, et tu en es sortie plus victorieuse et plus forte que leurs adeptes ne sortent des vains simulacres destinés à éprouver leur constance. D'ailleurs, l'épouse et l'élève d'Albert de Rudolstadt est notre fille, notre sœur et notre égale. Comme Albert, nous professons le précepte de l'égalité divine de l'homme et de la femme; mais, forcés du reconnaître dans les fâcheux résultats de l'éducation de ton sexe, de sa situation sociale et de ses habitudes, une légèreté dangereuse et de capricieux instincts, nous ne pouvons pratiquer ce précepte dans toute son étendue; nous ne pouvons nous fier qu'à un petit nombre de femmes, et il est des secrets que nous ne confierons qu'à toi seule.

«Les autres sociétés secrètes des diverses nations de l'Europe te seront ouvertes également par le talisman de notre investiture, afin que, quelque pays que tu traverses, tu y trouves l'occasion de nous seconder et de servir notre cause. Tu pénétreras même, s'il le faut, dans l'impure société des Mopses et dans les autres mystérieuses retraites de la galanterie et de l'incrédulité du siècle. Tu y porteras la réforme et la notion d'une fraternité plus pure et mieux étendue. Tu ne seras pas plus souillée dans ta mission, par le spectacle de la débauche des grands, que tu ne l'as été par celui de la liberté des coulisses. Tu seras la sœur de charité des âmes malades; nous te donnerons d'ailleurs les moyens de détruire les associations que tu ne pourrais point corriger. Tu agiras principalement sur les femmes: ton génie et ta renommée t'ouvrent les portes des palais: l'amour de Trenck et notre protection t'ont livré déjà le cœur et les secrets d'une princesse illustre. Tu verras de plus près encore des têtes plus puissantes, et tu en feras nos auxiliaires. Les moyens d'y parvenir seront l'objet de communications particulières, de toute une éducation spéciale que tu dois recevoir ici. Dans toutes les cours et dans toutes les villes de l'Europe où tu voudras porter tes pas, nous te ferons trouver des amis, des associés, des frères pour te seconder, des protecteurs puissants pour te soustraire aux dangers de ton entreprise. Des sommes considérables te seront confiées pour soulager les infortunes de nos frères et celles de tous les malheureux qui, au moyen des signaux de détresse, invoqueront le secours de notre ordre, dans les lieux où tu te trouveras. Tu institueras parmi les femmes des sociétés secrètes nouvelles, fondées par nous sur le principe de la nôtre, mais appropriées, dans leurs formes et dans leur composition, aux usages et aux mœurs des divers pays et des diverses classes. Tu y opéreras, autant que possible, le rapprochement cordial et sincère de la grande dame et de la bourgeoise, de la femme riche et de l'humble ouvrière, de la vertueuse matrone et de l'artiste aventureuse. Tolérance et bienfaisance, telle sera la formule, adoucie pour les personnes du monde, de notre véritable et austère formule: égalité, fraternité. Tu le vois; au premier abord, ta mission est douce pour ton cœur et glorieuse pour ta vie; cependant elle n'est pas sans danger. Nous sommes puissants, mais la trahison peut détruire notre entreprise et t'envelopper dans notre désastre. Spandaw peut bien n'être pas la dernière de tes prisons, et les emportements de Frédéric II la seule ire royale que tu aies à affronter. Tu dois être préparée à tout, et dévouée d'avance au martyre de la persécution.

Je le suis, répondit Consuelo.

Nous en sommes certains, et si nous craignons quelque chose, ce n'est pas la faiblesse de ton caractère, c'est l'abattement de ton esprit. Dès à présent nous devons te mettre en garde contre le principal dégoût attaché à ta mission. Les premiers grades des sociétés secrètes, et de la maçonnerie particulièrement, sont à peu près insignifiants à nos yeux, et ne nous servent qu'à éprouver les instincts et les dispositions des postulants. La plupart ne dépassent jamais ces premiers degrés, où, comme je te l'ai dit déjà, de vaines cérémonies amusent leur frivole curiosité. Dans les grades suivants on n'admet que les sujets qui donnent de l'espérance, et cependant on les tient encore à distance du but, on les examine, on les éprouve, on sonde leurs âmes, on les prépare à une initiation plus complète, ou on les abandonne à une interprétation qu'ils ne sauraient franchir sans danger pour la cause et pour euxmêmes. Ce n'est encore là qu'une pépinière où nous choisissons les plantes robustes destinées à être transplantées dans la forêt sacrée. Aux derniers grades appartiennent seules les révélations importantes, et c'est par ceuxlà que tu vas débuter dans la carrière. Mais le rôle de maître impose bien des devoirs, et là cesse le charme de la curiosité, l'enivrement du mystère, l'illusion de l'espérance. Il ne s'agit plus d'apprendre, au milieu de l'enthousiasme et de l'émotion, cette loi qui transforme le néophyte en apôtre, la novice en prêtresse. Il s'agit de la pratiquer en instruisant les autres et en cherchant à recruter, parmi les pauvres de cœur et les faibles d'esprit, des lévites pour le sanctuaire. C'est là, pauvre Consuelo, que tu connaîtras l'amertume des illusions déçues et les durs labeurs de la persévérance, lorsque tu verras, parmi tant de poursuivants avides, curieux et fanfarons de la vérité, si peu d'esprits sérieux, fermes et sincères, si peu d'âmes dignes de la recevoir et capables de la comprendre. Pour des centaines d'enfants, vaniteux d'employer les formules de l'égalité et d'en affecter les simulacres, tu trouveras à peine un homme pénétré de leur importance et courageux dans leur interprétation. Tu seras obligée de leur parler par des énigmes et de te faire un triste jeu de les abuser sur le fond de la doctrine. La plupart des princes que nous enrôlons sous notre bannière sont dans ce cas, et, parés de vains titres maçonniques qui amusent leur fol orgueil, ne servent qu'à nous garantir la liberté de nos mouvements et la tolérance de la police. Quelquesuns pourtant sont sincères ou l'ont été. Frédéric dit le Grand, et capable certainement de l'être, a été reçu francmaçon avant d'être roi, et, à cette époque, la liberté parlait à son cœur, l'égalité à sa raison. Cependant nous avons entouré son initiation d'hommes habiles et prudents, qui ne lui ont pas livré les secrets de la doctrine. Combien n'eûton pas eu à s'en repentir! À l'heure qu'il est, Frédéric soupçonne, surveille et persécute un autre rite maçonnique qui s'est établi à Berlin, en concurrence de la loge qu'il préside, et d'autres sociétés secrètes à la tête desquelles le prince Henri, son frère, s'est placé avec ardeur. Et cependant le prince Henri n'est et ne sera jamais, non plus que l'abbesse de Quedlimbourg, qu'un initié du second degré. Nous connaissons les princes, Consuelo, et nous savons qu'il ne faut jamais compter entièrement sur eux, ni sur leurs courtisans. Le frère et la sœur de Frédéric souffrent de sa tyrannie et la maudissent. Ils conspireraient volontiers contre elle, mais à leur profit. Malgré les éminentes qualités de ces deux princes, nous ne remettrons jamais dans leurs mains les rênes de notre entreprise. Ils conspirent en effet, mais ils ne savent pas à quelle œuvre terrible ils prêtent l'appui de leur nom, de leur fortune et de leur crédit. Ils s'imaginent travailler seulement à diminuer l'autorité de leur maître, et à paralyser les envahissements de son ambition. La princesse Amélie porte même dans son zèle une sorte d'enthousiasme républicain, et elle n'est pas la seule tête couronnée qu'un certain rêve de grandeur antique et de révolution philosophique ait agitée dans ces tempsci. Tous les petits souverains de l'Allemagne ont appris le Télémaque de Fénelon par cœur dès leur enfance, et aujourd'hui ils se nourrissent de Montesquieu, de Voltaire et d'Helvétius: mais ils ne vont guère au delà d'un certain idéal de gouvernement aristocratique, sagement pondéré, où ils auraient, de droit, les premières places. Tu peux juger de leur logique et de leur bonne foi, à tous, par le contraste bizarre que tu as vu dans Frédéric, entre les maximes et les actions, les paroles et les faits. Ils ne sont tous que des copies, plus ou moins effacées, plus ou moins outrées, de ce modèle des tyrans philosophes. Mais comme ils n'ont pas le pouvoir absolu entre les mains, leur conduite est moins choquante, et peut faire illusion sur l'usage qu'ils feraient de ce pouvoir. Nous ne nous y laissons pas tromper; nous laissons ces maîtres ennuyés, ces dangereux amis s'asseoir sur les trônes de nos temples symboliques. Ils s'en croient les pontifes, ils s'imaginent tenir la clef des mystères sacrés, comme autrefois, le chef du saintempire, élu fictivement grand maître du tribunal secret, se persuadait commander à la terrible armée des francsjuges, maîtres de son pouvoir, de ses desseins et de sa vie. Mais, tandis qu'ils se croient nos généraux, ils nous servent de lieutenants; et jamais, avant le jour fatal marqué pour leur chute dans le livre du destin, ils ne sauront qu'ils nous aident à travailler contre euxmêmes.

«Tel est le côté sombre et amer de notre œuvre. Il faut transiger avec certaines lois de la conscience paisible, quand on ouvre son âme à notre saint fanatisme. Auras-tu ce courage, jeune prêtresse au cœur pur, à la parole candide?

Après tout ce que vous venez de me dire, il ne m'est plus permis de reculer, répondit Consuelo, après un instant de silence. Un premier scrupule pourrait m'entraîner dans une série de réserves et de terreurs qui me conduiraient à la lâcheté. J'ai reçu vos austères confidences; je sens que je ne m'appartiens plus. Hélas! oui, je l'avoue, je souffrirai souvent du rôle que vous m'imposez; car j'ai amèrement souffert déjà d'être forcée de mentir au roi Frédéric pour sauver des amis en péril. Laissez-moi rougir une dernière fois de la rougeur des âmes vierges de toute feinte, et pleurer la candeur de ma jeunesse ignorante et paisible. Je ne puis me défendre de ces regrets; mais je saurai me garder des remords tardifs et pusillanimes. Je ne dois plus être l'enfant inoffensif et inutile que j'étais naguère; je ne le suis déjà plus, puisque me voici placée entre la nécessité de conspirer contre les oppresseurs de l'humanité ou de trahir ses libérateurs. J'ai touché à l'arbre de la science: ses fruits sont amers; mais je ne les rejetterai pas loin de moi. Savoir est un malheur; mais refuser d'agir est un crime, quand on sait ce qu'il faut faire.

C'est là répondre avec sagesse et courage, reprit l'initiateur. Nous sommes contents de toi. Dès demain soir, nous procéderons à ton initiation. Prépare-toi tout le jour à un nouveau baptême, à un redoutable engagement, par la méditation et la prière, par la confession même, si tu n'as pas l'âme libre de toute préoccupation personnelle.»

9 791041 834754